UN SPA EN CASA

206 secretos de salud y bienestar

UN SPA EN CASA

206 secretos de salud y bienestar

LAROUSSE

Contenido

Introducción y advertencias

desestrésate

refréscate

energízate

disfruta

Introducción

Salud, bienestar, belleza, calma… son cosas que todos aspiramos a tener en nuestras vidas. ¿A quién no le gustaría vivir una vida libre de estrés, equilibrada y, de paso, tener un cabello espléndido, una piel brillante y una figura escultural? Sabemos que estas cosas son importantes y reconfortantes, pero con las prisas de la vida diaria, a menudo posponemos nuestro cuidado. ¿Quién tiene tiempo para meditar, ejercitarse o disfrutar de momentos de lujo? La respuesta es que todos podemos encontrar el tiempo. Y de eso trata este libro.

En las páginas siguientes, encontrarás cientos de ideas sencillas, creativas y prácticas para mejorar tu salud, tu actitud y tu apariencia. Tomadas de una extensa variedad de disciplinas –que incluyen desde aromaterapia y yoga hasta masaje y nutrición–, estas ideas están organizadas de manera temática para ayudarte a alcanzar beneficios específicos, como renovar tu energía, adquirir un cuerpo más fuerte, disfrutar del relajamiento extático o procurarte algunos mimos bien merecidos. El enfoque es holístico, es decir, se consideran plenamente las necesidades del cuerpo, la mente y el espíritu, y las actividades han sido aportadas por expertos en sus campos, donde se combina lo mejor de las prácticas ancestrales y las disciplinas tradicionales con los descubrimientos científicos más recientes.

Las actividades aquí descritas te darán a conocer muchas prácticas y usos que incluyen cuidados para la piel y el cabello, tratamientos de spa, aromaterapia, masaje, yoga, meditación, técnicas de respiración, pilates, tai chi, condición física general y nutrición. Los ejercicios están diseñados para principiantes; por esta razón, las descripciones no son disertaciones sobre el tema. En todo caso, la intención es que estos atisbos a varias disciplinas e ideas te ayuden a identificar nuevos campos de interés y te lleven a investigarlos más profundamente.

Lee *Un spa en casa* de principio a fin o comienza buscando sólo los capítulos que más te interesen, ya sea para aprender diversas formas de relajarte, conocer nuevos métodos de prevenir enfermedades o identificar razones para tratarte con más cuidado. Continúa leyendo para conocer un poco más acerca de los tratamientos y las tradiciones que aquí te presentamos.

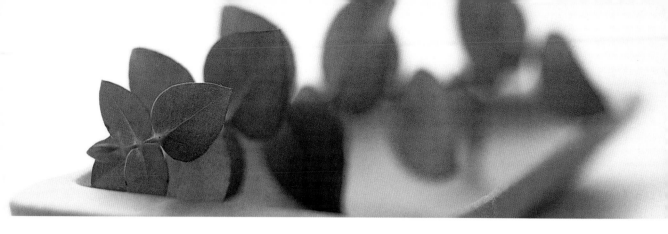

Cuidado de la piel, del cabello y tratamientos de belleza

El mundo de la belleza ha sido por mucho tiempo dominio de las mujeres, y ha estado lleno de todo tipo de maravillosos (y a veces no tan maravillosos) consejos que pasan de madre a hija, de amiga a amiga y del profesional de la estética al cliente. A lo largo del siglo xx, e incluso hoy en día, algunos productos de belleza se han ido elaborando cada vez con más productos sintéticos y se han orientado más a cubrir nuestros rasgos que a mejorarlos. Sin embargo, en la actualidad también están disponibles numerosos productos naturales que te ayudarán a verte y sentirte mejor. ¿Cuál es el secreto de belleza más grande? Muchos de los tratamientos pueden aplicarse en solo unos minutos y en la privacidad de tu hogar, como podrás darte cuenta en las sugerencias que te ofrecemos en las páginas siguientes.

Aromaterapia

El uso de aceites esenciales (aceites destilados de plantas aromáticas) para incrementar la salud física, emocional y espiritual, data por lo menos de hace 6 000 años. Actualmente, los aceites esenciales tienen diversos usos: para dar masajes, en lociones corporales, diluidos en la tina de baño o para aromatizar el ambiente. Disponibles en tiendas de salud y belleza, así como en Internet, los aceites esenciales se usan para tratar una gran variedad de males y afecciones, que incluyen el estrés, la depresión, las jaquecas, la ansiedad, las molestias menstruales y los problemas de la piel. Mientras que algunos dicen que cualquier cosa que huela bien te hará sentir bien, investigaciones científicas recientes demuestran que la aromaterapia tiene auténticos beneficios para la salud.

Masaje

En un mundo con un ritmo de vida rápido e individualista solemos olvidar una lección crucial: los seres humanos necesitan tocarse, y tocarse sana poderosamente. De hecho, durante miles de años, muchas culturas han practicado alguna forma de masaje con la finalidad de aminorar padecimientos físicos, mentales y espirituales. Esto no es simplemente cuestión de folclor; la investigación ha demostrado con certeza que el contacto físico ayuda a reducir la secreción de las hormonas que causan estrés, a aliviar la depresión, fortalecer el sistema inmunológico y disminuir el dolor. Los masajes terapéuticos no necesariamente deben ser aplicados sólo por terapistas certificados. Masajes sencillos —como los que se tratan en este libro— también pueden ser aplicados en casa entre las parejas, los amigos, los miembros de la familia o, incluso, puede aplicárselos una misma.

Tai chi

El tai chi (*Tai Chi*, pronunciado tái-chí) es un arte marcial originario de China, también conocido como *boxeo de sombra chino*. En la actualidad se usa como técnica de combate, para sanar y también como una forma de meditación en movimiento. En chino, *tai* significa 'gran' y *chi* 'energía', y la razón para practicarlo es experimentar, fortalecer y mejorar el flujo de la energía vital en el cuerpo. El tai chi consiste en una serie de movimientos lentos, gráciles y muy poderosos que involucran al cuerpo entero y requieren de una intensa concentración mental. A una secuencia de movimientos de tai chi se le llama *forma*; si practicas las formas de manera regular, te ayudarán a mantenerte físicamente saludable, mentalmente alerta y espiritualmente firme. Aunque algunas formas son difíciles, los ejercicios que hemos incluido son lo suficientemente sencillos como para que cualquier persona los practique en casa.

Bienestar físico general

Un cuerpo fuerte es fundamental para que te desenvuelvas con confianza por el mundo. La gente que está en buena condición física tiende a sentirse más capaz y energizada, reduce los riesgos de contraer algunas enfermedades, sufrir obesidad y padecer lesiones físicas. Para esta obra, hemos seleccionado una variedad de ejercicios de acondicionamiento físico general que te ayudarán a fortalecer tu cuerpo y a hacer más animadas tus rutinas de ejercicio.

Advertencias

Algunas de las actividades descritas en este libro podrían ser peligrosas si se ejecutan incorrectamente. Por ejemplo, cuando realices los ejercicios físicos, toma el tiempo necesario para leer el texto —no sólo mires las fotos— y nunca te esfuerces por ejercitarte al grado de que te duela el cuerpo. Cuando estés aplicando un masaje, es importante que recuerdes que no se debe masajear directamente la parte alta de la espina dorsal o sobre venas varicosas, heridas abiertas, áreas con dolor intenso, irritaciones epidérmicas, infecciones o hematomas. Si estás embarazada, evita los ejercicios que impacten en tu abdomen o aquellos que requieran de trabajo profundo sobre tus manos o pies. Las mujeres embarazadas tampoco deberían experimentar con aromaterapia, y cualquier persona que use aceites esenciales debe leer las instrucciones y advertencias en las etiquetas de los productos antes de siquiera abrir las botellas. Por ejemplo, los aceites esenciales casi nunca se aplican directamente sobre la piel sin antes diluirlos; incluso las personas con presión sanguínea alta deberían evitar el uso de aceites estimulantes. Asegúrate de llevar a cabo pruebas mínimas de todos los productos de belleza que pretendas usar para determinar si pudieras ser alérgica a los ingredientes. Si tienes dudas acerca de la conveniencia de un programa de ejercicios o de alguna práctica relacionada con la salud, consulta a tu médico o a un profesional en cuidados de la salud para decidir si te conviene hacerlo.

desesstrésate

Una vida con una ajetreada rutina diaria —sin pensar siquiera en esas crisis que ocurren sin previo aviso— puede provocar un caos en tu mente y cuerpo. Así como los músculos requieren de tiempo para recuperarse entre sesiones de entrenamiento para adquirir fuerza, tu ser también necesita tiempo para relajarse del torbellino de actividades.

Tomarte tiempo para soñar despierta, estirarte y observar el mundo que te rodea puede brindarte beneficios asombrosos: tu mente se despeja, el cuerpo se recupera y tu espíritu se libera y puede elevarse.

Recuerda que dejar las cosas de lado momentáneamente puede ser tan importante como realizarlas. De hecho, en ocasiones dejar las cosas de lado es la mejor manera de asegurar que podrás hacer tu mejor esfuerzo. Después de todo, un cuerpo relajado se desenvuelve con mayor libertad, una mente serena escucha más claramente a su musa y un corazón tranquilo puede abrirse mejor para sentir amor y felicidad. ✍

01

Usa bergamota para energizarte

El uso de aceites esenciales (destilados de plantas aromáticas) para estimular la salud física, emocional y espiritual data de, por lo menos, unos 6 000 años. En la actualidad, los aceites esenciales se usan de varias maneras: para dar masaje, como lociones corporales, diluidos en el agua de un baño de tina o para aromatizar el ambiente.

El sabor vigoroso y cítrico de la bergamota le da al té *Earl Grey* su sabor distintivo. El aceite esencial de la bergamota, que se destila de su cáscara, ha sido usado con fines medicinales y para el cuidado de la piel desde la época del Renacimiento; su aroma es extremadamente edificante y tranquilizante, y los especialistas en aromaterapia lo recomiendan para tratar la ansiedad, el enojo, el miedo e incluso la depresión ligera.

02 Trata bien tu cuello

Después de un día agitado, prémiate con un tibio collarín acojinado o con una almohadilla perfumada para combatir la tensión y el malestar que se acumula en tu cuello y hombros. El calor también favorece una mayor movilidad de tu cuello.

1 Compra un collarín acojinado o una almohadilla suave que puedas calentar, que se moldee bien al contorno de tu cuello y que esté rellena de arroz y hierbas aromáticas. El peso del arroz presiona sutilmente tus músculos, lo que ayuda a relajarlos; el aroma de las hierbas relaja los nervios contraídos y el calor ayuda a desvanecer la tensión y el dolor.

2 Para intensificar el efecto relajante de este tratamiento, salpica unas gotas de aceite esencial sobre el collarín acojinado o la almohadilla. Escoge un aroma tranquilizante que vaya bien con las hierbas u otras plantas que ya contenga el collarín; por ejemplo, el jazmín armoniza con la lavanda y la manzanilla complementa el romero. La bergamota es un aroma especialmente tranquilizante y reconfortante que combina bien con muchos aceites aromáticos, incluido el ciprés, el jengibre, el geranio indio, el junípero, el limón, el neroli, la flor de cananga y el geranio. Si vas a usar un aceite esencial puro, asegúrate de mezclarlo con un poco de aceite neutro antes de salpicarlo sobre la almohada para evitar una irritación cutánea.

3 Localiza un lugar tranquilo, donde puedas sentarte y reclinarte apoyando tu cabeza, como en una silla acojinada de respaldo alto. Calienta la almohadilla o el collarín acojinado como indica el fabricante y colócala detrás de tu cuello, sobre tus hombros. Relájate durante unos diez minutos o hasta que la almohada o collarín se enfríe y tu tensión se haya esfumado, al menos hasta que lleguen los retos de la mañana siguiente.

03 Mueve tu cuello para dispersar el estrés

¿Atrapada en tu escritorio y estresada? Prueba un poco de automasaje. Presiona tu pulgar derecho contra la base de tu cráneo, cerca de tu oreja derecha, y asiente con tu cabeza de tres a seis veces. Poco a poco desplaza tu pulgar por la orilla de tu cráneo hacia tu espina dorsal, cabeceando suavemente en cada punto. Repite la acción por el lado izquierdo.

04 Dale un descanso a tus pies

Después de una larga jornada, cuando tus pies están cansados y adoloridos, obtén un alivio inmediato remojando, rodando y masajeándolos con esta serie de tratamientos tranquilizantes de spa en casa.

1   Llena un tazón grande con agua fresca. Agrega seis gotas de aceite esencial de árbol de té y mézclalos. Agrega dos docenas de rebanadas de pepino y un puñado de hojas de menta maceradas. El aceite esencial de árbol de té tiene propiedades antibacteriales, el pepino actúa como astringente suave y la menta añade un aroma de frescura. Coloca el tazón al pie de tu silla favorita y con calma introduce los pies en el agua. Relájate y déjalos remojando durante unos 15 minutos.

2   Pasado el tiempo, seca tus pies y siéntate cómodamente en la silla. Coloca un pie sobre un rodillo de madera para pies y muévelo hacia adelante y hacia atrás, variando la velocidad y la presión. Masajea de 5 a 10 minutos y cambia de pie.

3   Dale un masaje a tus pies usando una cantidad generosa de loción, bálsamo o aceite para masaje con un aroma que te agrade; masajea un pie frotando vigorosa y rápidamente hacia delante y hacia atrás. Luego, coloca tus manos envolviendo el arco del pie y haz presión con ellas, como si quisieras unirlas, y deslízalas hacia tus dedos. Esta acción favorece la circulación sanguínea y ayuda a eliminar toxinas. Repite el procedimiento en el otro pie.

Prueba la reflexología en casa

Cuando usas el rodillo de madera para pies, realmente haces mucho más que sólo darle alivio a tus pies adoloridos. De hecho, el rodillo para pies está diseñado para activar las zonas de reflexología. Para practicar una versión "hazlo tú misma", mete algunas pelotas de golf en un calcetín y con ellos date un masaje de pies breve y veloz.

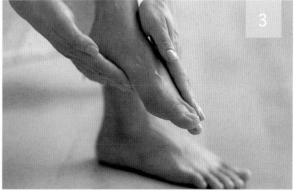

05 Suaviza tus manos con aceite de almendras dulces

A menudo olvidamos lo duro que trabajan nuestras manos hasta que nos damos cuenta de que están secas o ásperas. Mímalas de vez en cuando para que se vean y se sientan mejor. Dale a tus manos una bien merecida friega con productos que contengan aceite de almendras dulces, que es un aceite ligero y delicadamente perfumado que fomenta la suavidad de la piel y la flexibilidad de las uñas. Es ingrediente clave de muchas lociones para masaje y humectantes. El aceite de almendras dulces es ideal para manos resecas, cuarteadas, envejecidas o que simplemente trabajan de más, porque contiene ácidos grasos esenciales que protegen y revitalizan la piel.

06 Incluye aceite de almendras en tu lista de compras

La almendra dulce (nombre común de este alimento) es una fruta. Su carne es dura, correosa, de color verde; al madurar se seca, dejando una cáscara áspera que contiene a la semilla, la misma que comemos y usamos para producir el aceite. Además de sus virtudes como auxiliar para la belleza, el aceite de almendras es excelente en ensaladas y para cocinar, ya que está libre de colesterol y contiene gran cantidad de vitamina E, ácidos grasos esenciales y grasas monoinsaturadas buenas para el corazón. Para preservar el delicado sabor de las ensaladas y otros platillos fríos, sustituye el aceite de almendra prensado en frío por aceite de oliva o aceite de nuez.

07 Improvisa unos guantes para humectarte por las noches

Si tus manos están secas, suaviza su piel mientras duermes aplicándoles aceite de almendras dulces y cubriéndolas con un par de calcetines de algodón. Otros aceites, como los de vitamina E, jojoba u oliva, también son buenas opciones para este tratamiento; asimismo, puedes usar cualquier crema hidratante para manos. Los calcetines de algodón intensifican los efectos del humectante.

08 Exfolia tus manos para que luzcan más suaves

Dale a tus manos un poco de cuidado tierno y amoroso exfoliándolas, acondicionándolas y humectándolas con productos que contengan aceite de almendras dulces. Este tratamiento —a base de una pasta exfoliadora, bálsamo para uñas y crema para manos— nutrirá tu piel, cutículas y uñas.

1 Llena un tazón o el lavabo con agua tibia y lava tus manos a conciencia con un jabón suave. Evita usar agua muy caliente, ya que podría resecar aún más tu piel. Tómate unos minutos para masajearlas presionando los pulgares contra tus palmas: presiona suavemente cada dedo, trabajando desde la base hasta la punta de cada uno. Después enjuaga tus manos y sécalas.

2 Cuando tus manos estén completamente secas, úntales una pasta exfoliadora que contenga aceite de almendra dulce (ve la receta de arriba a la derecha) sobre el dorso de cada mano.

3 Distribuye una capa gruesa y uniforme de la pasta sobre tus manos y sobre todo el largo de tus dedos; deja que la pasta se seque durante unos diez minutos.

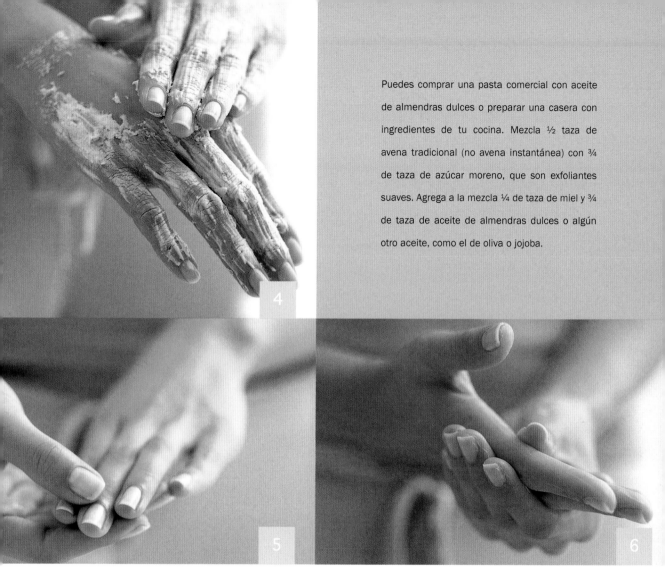

Puedes comprar una pasta comercial con aceite de almendras dulces o preparar una casera con ingredientes de tu cocina. Mezcla ½ taza de avena tradicional (no avena instantánea) con ¾ de taza de azúcar moreno, que son exfoliantes suaves. Agrega a la mezcla ¼ de taza de miel y ¾ de taza de aceite de almendras dulces o algún otro aceite, como el de oliva o jojoba.

4 Cuando la pasta tenga una consistencia arcillosa, estará seca y lista para quitarse. Entonces, simplemente frota tus manos y la mayor parte del producto caerá en hojuelas. O usa una toalla de manos limpia y seca para eliminar la pasta por completo.

5 Enjuaga tus manos con agua tibia (no caliente) y sécalas a conciencia.

6 Ahora, acondiciona tus uñas y cutículas con un bálsamo para uñas a base de aceite de almendras dulces. Masajeando, unta una cantidad generosa del aceite sobre cada uña y deslízalo hacia la cutícula. Cuando el bálsamo para uñas se haya absorbido, aplica en tus manos una crema de almendras dulces rica en emolientes.

09
Aromatiza con un difusor de carrizo

Si prefieres no usar electricidad o velas para difundir aromas en el ambiente, opta por un difusor de carrizo. El aceite esencial se guarda en un contenedor y es absorbido hacia arriba a través de carrizos delgados de bambú, lo que proporciona una difusión continua de aromas benéficos por toda la habitación.

10
Mejora tu ánimo con aromaterapia

Cuando te sientes estresada, ansiosa o triste, ayúdate a mejorar tu ánimo difundiendo en tu entorno los suaves aromas de los aceites esenciales tranquilizantes, pacificadores y estimulantes.

Libera los aromas de los aceites esenciales puros con un difusor. Este agradable y efectivo método crea un ambiente que altera los estados de ánimo y libera las diversas propiedades terapéuticas de los aceites. Hay disponibles muchos tipos de difusores de aromaterapia: barro, vidrio, cerámica y metal, y algunos son tanto decorativos como eficientes.

Los difusores están diseñados con platillos o recipientes para colocar los aceites esenciales, generalmente diluidos con agua o aceite neutro (sigue las instrucciones del fabricante acerca del uso correcto de tu modelo en particular). Muchos aceites se calientan con velas pequeñas, pero también hay difusores eléctricos que hacen circular aire fresco. Si usas velas en tu difusor, asegúrate de que no tengan aroma, para que este no interfiera con el aroma de los aceites que hayas elegido.

11
Experimenta con diversos aceites para obtener efectos diferentes

Los aceites esenciales se utilizan para tratar una variedad de trastornos, como disminuir la tensión, la ansiedad o la tristeza; prueba difuminar aceites como el de ylang-ylang, lavanda o rosas. Los aromas de neroli, bergamota, geranio, salvia o palmarosa también se consideran tranquilizantes y ayudan a restaurar la sensación de equilibrio y optimismo: un útil refrescante de ambiente, sin duda.

12 Libera la tensión de tu cuello

Aunque no tengas a nadie cerca que te dé un masaje, encontrarás un grato alivio para tu cuello con esta serie de frotamientos y estiramientos que tú misma puedes hacer.

1 Mueve tu cabeza hacia un lado para encontrar tu músculo esternocleidomastoideo (generalmente abreviado como ECOM). El ECOM comienza a la altura del esternón y la clavícula, cruza el cuello en diagonal y conecta con la base del cráneo detrás de la oreja. Con tu pulgar, presiona la parte inferior del ECOM, manteniendo tu palma hacia dentro. Sostén la posición del pulgar presionando con firmeza mientras giras lentamente la cabeza de lado a lado tres veces. Repite estos pasos en un nuevo punto, a unos dos o tres centímetros más arriba del punto anterior. Trabaja ambos lados de tu cuello de abajo hasta arriba.

2 Ahora centra tu atención en la parte posterior de tu cabeza. Presiona con firmeza con tus pulgares en la base de tu cráneo y muévelos en círculos cerrados y firmes. Comienza en cada lado de la espina dorsal y trabaja hacia fuera a lo largo de la base de tu cráneo y hacia las orejas. Si encuentras puntos sensibles, detente y presiónalos con firmeza mientras respiras profundamente tres veces.

3 Con la mano derecha sujétate de algo estable, como la superficie de una mesa, y gira la cabeza hacia la izquierda, hasta donde te sea cómodo, puedes hacerlo sentada o de pie, con el cuello erguido. Estira los músculos del cuello guiando suavemente tu mentón más hacia la izquierda con tu mano izquierda. Mantén el estiramiento durante tres respiraciones profundas, ve soltando suavemente y repite del otro lado.

4 Coloca la mano izquierda sobre el hombro izquierdo. Con la mano derecha, guía suavemente tu cabeza hacia abajo dirigiéndola hacia el hombro derecho. Inhala y exhala lentamente, sintiendo cómo se estiran los músculos de tu cuello a lo largo de tres respiraciones. Lentamente, regresa tu cabeza al centro. Repite del otro lado. Puedes hacer este estiramiento varias veces, sosteniendo tu cabeza en ángulos diferentes para aislar diversos músculos.

13

No luches en vano

Parte de la razón por la que te duelen el cuello y los hombros cuando estás bajo estrés es por el acondicionamiento de pelea-o-huye que el cuerpo asume automáticamente cuando se expone a una amenaza, ¡sin importar que sea un tigre hambriento o un jefe malhumorado! Cuando este mecanismo de autodefensa entra en acción, los hombros se encogen y el cuello instintivamente mueve la cabeza hacia adelante. Tómate un momento, conscientemente, para relajar esa postura defensiva cuando estás a la mitad de un día difícil.

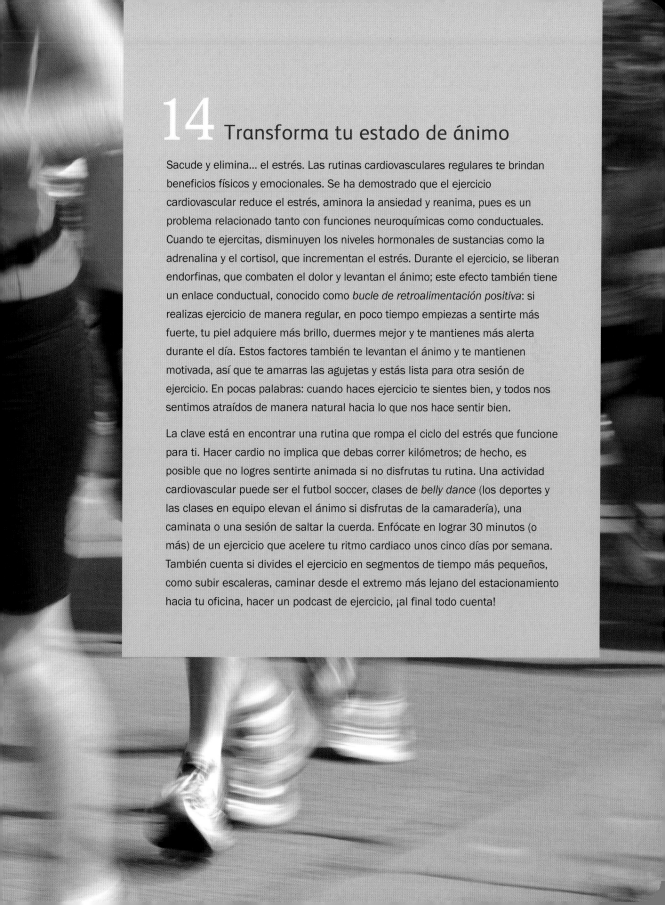

14 Transforma tu estado de ánimo

Sacude y elimina... el estrés. Las rutinas cardiovasculares regulares te brindan beneficios físicos y emocionales. Se ha demostrado que el ejercicio cardiovascular reduce el estrés, aminora la ansiedad y reanima, pues es un problema relacionado tanto con funciones neuroquímicas como conductuales. Cuando te ejercitas, disminuyen los niveles hormonales de sustancias como la adrenalina y el cortisol, que incrementan el estrés. Durante el ejercicio, se liberan endorfinas, que combaten el dolor y levantan el ánimo; este efecto también tiene un enlace conductual, conocido como *bucle de retroalimentación positiva*: si realizas ejercicio de manera regular, en poco tiempo empiezas a sentirte más fuerte, tu piel adquiere más brillo, duermes mejor y te mantienes más alerta durante el día. Estos factores también te levantan el ánimo y te mantienen motivada, así que te amarras las agujetas y estás lista para otra sesión de ejercicio. En pocas palabras: cuando haces ejercicio te sientes bien, y todos nos sentimos atraídos de manera natural hacia lo que nos hace sentir bien.

La clave está en encontrar una rutina que rompa el ciclo del estrés que funcione para ti. Hacer cardio no implica que debas correr kilómetros; de hecho, es posible que no logres sentirte animada si no disfrutas tu rutina. Una actividad cardiovascular puede ser el futbol soccer, clases de *belly dance* (los deportes y las clases en equipo elevan el ánimo si disfrutas de la camaradería), una caminata o una sesión de saltar la cuerda. Enfócate en lograr 30 minutos (o más) de un ejercicio que acelere tu ritmo cardiaco unos cinco días por semana. También cuenta si divides el ejercicio en segmentos de tiempo más pequeños, como subir escaleras, caminar desde el extremo más lejano del estacionamiento hacia tu oficina, hacer un podcast de ejercicio, ¡al final todo cuenta!

15 Alivia unos ojos cansados

Mirar fijamente la pantalla de la computadora, leer textos con letra pequeña o fruncir el ceño porque estás concentrándote, pueden causar estragos en tus ojos. A algunas personas les producen jaquecas, a otras se les irritan los ojos y a algunas más incluso se les nubla la visión.

Necesitas tener disciplina para hacer un alto y darte descansos frecuentes cuando tienes que hacer trabajar de más a tus ojos. Incluso tan sólo cerrar los ojos o mirar a la distancia por un momento puede ayudarte.

Para obtener un alivio rápido, prueba los ejercicios de concentración y el sencillo automasaje que se describen en las páginas siguientes. Están diseñados para ayudar a eliminar jaquecas, relajar los músculos oculares y aliviar la tensión concentrada en los ojos, y de paso, la del resto del cuerpo.

16 Alivia la tensión facial con las yemas de tus dedos

Para ayudar a reducir la tensión facial, aplica una suave presión, en círculos, con las yemas de los dedos sobre tus sienes, mejillas y mentón. Comienza en las sienes: relaja las manos y con los dedos medios presiona cada sien; mueve los dedos haciendo círculos, suavemente, hacia arriba y hacia atrás. Respira hondo y continúa haciendo los movimientos circulares durante tres respiraciones completas.

Después, masajea tus mejillas. Comenzando por los lados de las fosas nasales, presiona suavemente, en círculos, con tus dedos medios. Mueve circularmente tus dedos punto por punto a lo largo del contorno inferior de tus mejillas y hacia tus orejas. Mueve tus dedos hacia el mentón. Colocando tus dedos medios entre el labio inferior y el mentón, presiona firmemente y haz círculos con las yemas de los dedos, moviéndolos hacia fuera y hacia arriba a lo largo de la línea de la quijada y por todos sus músculos.

17 Relaja los músculos de tus ojos

Inspirados en el masaje, la medicina oriental y el yoga, estos ejercicios de automasaje y concentración ayudan a relajar los músculos de los ojos, permiten una mejor oxigenación y activan los meridianos de energía (canales de energía que los sanadores consideran que corren por el cuerpo).

1   Lava tus manos, sécalas muy bien y frótalas palma con palma vigorosamente para calentarlas.

2   Coloca tus palmas sobre los ojos cerrados y descansa tus dedos sobre la frente. Ejerce presión para que tus ojos se sientan reconfortados. Respira hondo. Mantén esta posición por varios minutos. (Nota: Si usas lentes de contacto, debes quitártelos antes de realizar este tratamiento.)

3   Cierra tus ojos y presiona con el pulgar sobre el punto que se localiza justo debajo de tu ceja izquierda y junto al puente de la nariz. Presiona suavemente hacia arriba (ten cuidado, este punto puede ser sensible) por cerca de un minuto mientras respiras profundamente. Repite la acción con el otro ojo.

Recuerda darle breves descansos a tus ojos cuando estés usando la computadora o cuando hagas otras tareas que requieran mirar de cerca. Reduce la tensión de los ojos manteniendo inmóvil tu cabeza y mirando a lo lejos, hacia arriba, hacia abajo, a la derecha y a la izquierda, con tus ojos abiertos o cerrados. Mantén cada posición durante una respiración completa. También, con frecuencia aparta la vista del trabajo y mira por la ventana o recorre el cuarto con la vista.

4   Presiona con las yemas de dos dedos el punto en la orilla exterior de tu ojo. Masajea suavemente esa área con movimientos circulares, durante varios minutos. En distintas prácticas médicas, tanto occidentales como orientales, se cree que este ejercicio mejora la circulación sanguínea, lo que puede aliviar la tensión ocular.

5   Para descansar los ojos cuando tu tarea requiere mantener la vista concentrada en objetos cercanos, sostén tus manos a unos 30 centímetros de tu cara, con las palmas hacia ti y los dedos juntos, apuntando hacia arriba.

6   Conforme inhalas profundamente, separa tus manos y mira un punto distante. Ahora exhala y vuelve a acercar tus manos, reajustando el enfoque de tu mirada en tus palmas. Repite las pasos, alternando entre posiciones de las manos (y puntos de enfoque) durante dos o tres minutos.

18
Prevén
las jaquecas

Para ayudar a prevenir la jaqueca, la American Headache Society recomienda que practiques la "*headache hygiene*", es decir, llevar a cabo prácticas de higiene para prevenir los dolores de cabeza.

- Duérmete y despierta a la misma hora cada día.

- Realiza ejercicio aeróbico durante al menos 30 minutos, tres veces por semana.

- Desayuna sanamente y dale seguimiento a tu alimentación con comidas regulares a lo largo del día.

- Desestrésate.

- Identifica y evita los alimentos que te provocan jaqueca.

19 Despeja tu mente

Cuando el estrés o la fatiga no te permitan pensar con claridad, estas sencillas maniobras incrementarán el flujo de sangre a la cabeza, con lo cual mejorará notablemente tu concentración y claridad.

1 Con un cepillo de cerdas de hule, cepilla tu cabello hacia atrás, con movimientos largos y firmes, desde la raíz, recorriendo toda tu cabeza. Después, cuelga tu cabeza hacia abajo y cepilla tu cabello desde la nuca hasta la coronilla. Repite ambos pasos cinco veces.

2 Usando las yemas de tus dedos, frota lenta y profundamente entre tu cabello todo el cuero cabelludo. Comienza por la frente y avanza hacia atrás, pasando por la coronilla y bajando hasta la nuca. Después de masajear la cabeza durante algunos minutos, quizá sientas una sensación de cosquilleo o pulsaciones, es señal de que el flujo sanguíneo se ha incrementado y ha llevado una carga extra de oxígeno que estimula el cerebro.

3 Ahora coloca las manos a ambos lados de la cabeza, con la parte baja de las palmas descansando sobre las sienes. Presiona suavemente las sienes durante cinco segundos, después, relaja y desliza las manos hasta la parte superior de tu cabeza. Repite la secuencia de presión y deslizamiento, variando tanto la cantidad de presión como la velocidad de tus movimientos hasta que sientas que comienza a disminuir la tensión en tu cabeza.

4 Concluye el masaje pasando tus dedos lentamente entre tu cabello, desenredando suavemente cualquier nudo. Después, rasca el cuero cabelludo con tus uñas muy suavemente, de la frente hacia la nuca; repítelo tres veces, pero incrementa ligeramente la presión en cada ocasión. Finalmente, libera la tensión sobrante del cuero cabelludo tomando un puñado de cabello y jalándolo suavemente hacia abajo; sostén el cabello durante tres segundos antes de soltarlo y continúa con otro puñado de cabello. Asegúrate de jalar y soltar suavemente todo tu cabello para que el cuero cabelludo se beneficie al ser eliminada la tensión.

20 Encórvate para destensar la espalda

Este sencillo estiramiento de yoga relaja una espalda tensa y ayuda a incrementar la flexibilidad tanto de la espalda como de las caderas. Acuéstate de espaldas, flexiona las piernas, acerca las rodillas hasta el pecho, y abraza tus piernas con los brazos. Inhala hondo y aguanta la respiración mientras elevas el pecho hacia tus rodillas. Mécete suavemente, ya sea de lado a lado o de la cabeza hacia las caderas, usando el peso de tu cuerpo para masajear la espalda. Cuando estés lista para exhalar, suelta de golpe todo el aire por la boca y, al mismo tiempo, ve estirando las extremidades sobre el suelo. Relájate durante un minuto o dos, y repite el ejercicio.

21 Levanta tu pelvis

Levantar la pelvis de por sí es agradable, es una postura que se utiliza mucho en el yoga y en otras disciplinas y ejercicios para proteger la espalda baja de la tensión y fortalecer los músculos internos. Para lograr esta benéfica pose, acuéstate de espaldas sobre una superficie cómoda, con las piernas dobladas y los pies sobre el piso, separados tanto como sea el ancho de tu cadera. Coloca los brazos a los costados y relájalos. Inhala, levanta la pelvis mientras aprietas con fuerza los glúteos; después exhala mientras vas bajando la pelvis y relajando los glúteos hasta que la pelvis quede sobre el piso. Repite estos movimientos durante cuatro a diez respiraciones, elevando la pelvis con cada inhalación y bajándola con cada exhalación.

22 Tuerce tu espina dorsal

Acostada de espaldas, dobla las piernas, júntalas y estira los brazos, desde los hombros, sobre el piso con las palmas hacia abajo. Baja ambas piernas, dobladas, hacia el lado izquierdo lo más que puedas sin despegar el hombro derecho del piso. Si tus rodillas no tocan el suelo, coloca una cobija doblada, una toalla enrollada o una almohada firme debajo de ellas para apoyarlas. Mira hacia arriba o, si puedes hacerlo con comodidad, mira hacia la derecha. Si quieres, coloca tu mano izquierda sobre las rodillas para guiar tus pies suavemente hacia abajo. Aguanta durante diez respiraciones e inhala mientras regresas tus piernas hacia el centro; repite los pasos ahora hacia el lado derecho.

23

Mantén el equilibrio con los ojos cerrados

Para incrementar la dificultad de cualquier postura erguida de yoga, realízala con los ojos cerrados. Mantener el equilibrio cuando no se tiene un punto de referencia visual es más difícil de lo que se piensa.

24 Mejora tu equilibrio con la postura "de la montaña"

Las poses de yoga que favorecen el equilibrio te ayudan a comprender mejor la relación entre movimiento e inmovilidad y también mejoran tu postura.

Comienza con la postura "de la montaña" básica (mira la foto a la derecha): Párate con los pies juntos y las manos relajadas a los costados para formar una línea larga y recta con el cuerpo. Contrae los cuádriceps (músculos del frente de los muslos) para ayudar a que se estabilicen tus rodillas e impedir que se traben. Mantén el mentón elevado para que tu cabeza mire al frente. Relaja los omóplatos para que caigan hacia abajo y mantengas las clavículas alzadas y extendidas. Relaja los músculos de la cara y el cuello. Desafía tus habilidades como equilibrista cerrando los ojos. Mantente así durante varias respiraciones mientras visualizas la firmeza de una montaña.

"La montaña que ora" es una variación de esta pose. Párate erguida y con los pies juntos, como indica el párrafo anterior. En vez de descansar tus brazos a los costados, coloca las manos en posición de rezar (palmas unidas, dedos hacia arriba) y súbelas hasta el nivel de tu pecho. Distribuye tu peso uniformemente sobre ambos pies, aprieta los cuádriceps, mantén los hombros abajo y permanece erguida. Mantente así durante varias respiraciones.

25 Localiza tu punto de equilibrio

Para ayudarte a mantener el equilibrio, fija tu mirada en un punto directamente frente a ti o en alguno un poco debajo del nivel de tus ojos. Visualiza cómo se va creando un triángulo de estabilidad entre tres puntos: tus ojos, el punto focal que escogiste y tu centro de gravedad (justo debajo del ombligo). Aprender a equilibrarte de esta manera te ayudará a alcanzar estabilidad física y mental. Pero no te obsesiones demasiado con esto; si te cuesta trabajo mantener el equilibrio, practica cerca de un muro o recargada en él; conforme se fortalezcan tu cuerpo y tu mente, podrás prescindir del apoyo externo.

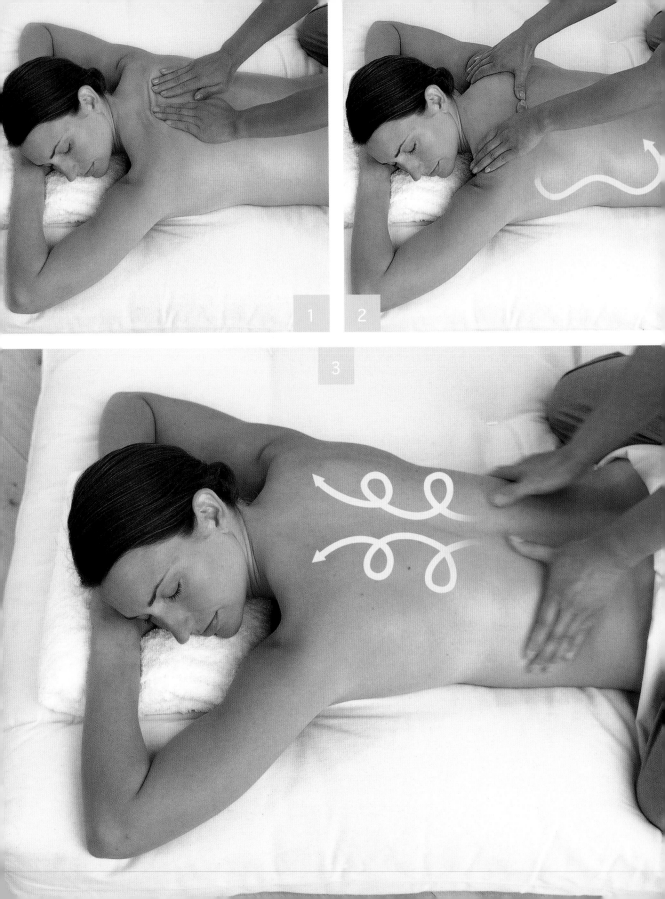

26 Que una amiga masajee tu espalda

Estas técnicas relajan los músculos de la espalda, que a menudo están tensos y adoloridos. Pídele a una amiga que siga estos sencillos pasos:

1 Después de entibiar un poco de aceite para masaje en tus manos (lee la receta a la derecha), deslízalas sobre los músculos más grandes a los costados de la espina dorsal. Presiona firmemente con las yemas de los dedos y palmas y acomoda las manos para que se amolden a la forma de la espalda conforme las deslizas. Al llegar a la base de la nuca, abre tus manos y masajea la parte superior y los costados de los hombros.

2 Coloca tus manos rodeando los hombros y deslízalas hacia las costillas. Bájalas por los costados hacia las caderas, pasa los dedos bajo la cintura, inclínate hacia atrás y jala suavemente hacia ti para estirar los músculos de la espalda baja. Repite los pasos 1 y 2 cuatro veces más.

3 Comenzando en la espalda baja, presiona con tus pulgares sobre los músculos a cada lado de la espina dorsal. Presionando con firmeza, gira los pulgares sobre los músculos conforme avanzas poco a poco de manera ascendente hasta el cuello. Cuida siempre de presionar a los lados de la columna vertebral y nunca directamente sobre ella. Después, traza círculos con los pulgares sobre los músculos alrededor de la nuca y a lo ancho de los hombros. Repite tres veces más.

Mezcla de aceite para masaje

2 onzas de aceite base (como
   almendras dulces, semillas
   de uva o jojoba)
12 gotas de aceite esencial
   de lavanda
8 gotas de aceite esencial de salvia
5 gotas de aceite esencial ylang-
   ylang

27 Rásquense mutuamente las espaldas

Todos hemos escuchado la frase "cuidémonos las espaldas"; pues en un contexto diferente, una buena rascada de espaldas es una manera de cuidarse las espaldas y puede ser reconfortante, ya que las terminaciones nerviosas en la superficie de la piel favorecen la estimulación. Cuando le rasques a alguien la espalda, hazlo ejerciendo una presión de suave a moderada, según lo prefiera la persona.

28

Bebe agua mineral fresca

Fíjate bien en la fuente de origen cuando elijas un agua mineral. Para merecer la designación oficial "agua mineral", el agua debe originarse en una fuente subterránea, ser extraída directamente del manantial que emerge del subsuelo, contener cierta cantidad de minerales y de otras sustancias básicas y estar libre de contaminación.

29 Sumérgete en el poder sanador de la hidroterapia

Algunos aficionados al spa creen que la hidroterapia es lo más cercano que encontrarán a la fuente de la juventud y le atribuyen al baño en aguas minerales el poder de mantenerlos con una apariencia juvenil. Disfruta en casa algunos de los beneficios del agua mineral preparando un baño restaurador que no sólo te hará sentir realmente relajada, sino que además te brindará un estado general de bienestar.

Llena la tina con agua bien caliente, suficiente para cubrir tus hombros por completo. Agrega un puñado de sales minerales perfumadas para baño y mézclalas con tu mano hasta que se disuelvan completamente. Métete despacio en la tina, recuéstate (si quieres, usa una almohada de baño o una toalla enrollada para apoyar tu cuello) y cierra los ojos. Descansa en este relajante baño por lo menos 20 minutos, respirando lenta y profundamente.

30 Hidrátate mientras te bañas

Antes de introducirte en un baño con sales minerales, sírvete un vaso alto de agua mineral fría y colócalo cerca de la tina, donde puedas alcanzarlo. Para que tu agua sea aún más refrescante, agrégale rebanadas de lima, limón o pepino. Cuando estás inmersa en agua muy caliente, sudas y por eso es importante que mantengas tu cuerpo bien hidratado. Continúa bebiendo la fresca agua mineral mientras te remojas.

Después del baño, cuando te hayas secado, llena nuevamente el vaso de agua y tenlo a la mano; para mantenerte hidratada, sigue bebiendo agua en abundancia después del tratamiento en la tina.

31 Practica la respiración tradicional del yoga

Este ejercicio te llevará a una relajación profunda, pues te ayuda a ubicarte plenamente en el presente y a incrementar tu capacidad pulmonar. Se cree que la práctica de la respiración profunda en el yoga (*Deergha Swaasam*, en sánscrito) ayuda a quienes la practican a incrementar sus niveles de concentración y de claridad de pensamiento y a estar en sintonía con el universo, porque pueden atraer mucho *prana* (o fuerza de vida). Esta práctica también produce una elevadísima concienciación y relajamiento.

Para comenzar el ejercicio de respiración:

1 Siéntate cómodamente sobre el piso o en una silla.

2 Inhala profundamente por tu nariz, desde el abdomen hacia arriba, expandiendo tu estómago y tu caja torácica; intenta usar toda tu capacidad pulmonar. Conforme llenas de aire tus órganos, ve elevando los hombros al mismo ritmo de tu inhalación.

3 En orden inverso, exhala: primero el área debajo de tus clavículas, después tu caja torácica y por último tu abdomen.

Reconoce tu ritmo respiratorio

Si se te dificulta reconocer tu ritmo respiratorio (esto se vuelve más fácil con la práctica), coloca una mano sobre tu abdomen y otra sobre tu pecho para que sientas el movimiento de tu cuerpo según inhalas y exhalas. Simplemente respira lenta y profundamente de esta manera durante unos minutos, mientras disfrutas del estado sereno y contemplativo que esta práctica te proporciona.

32 Benefíciate respirando profundamente

"Relájate y respira hondo." Aunque quizá quienes ofrecen este consejo no se percaten de ello, los beneficios están médicamente comprobados. Cuando inhalas plena y lentamente, los receptores en tus pulmones le mandan a tu sistema cardiovascular una señal para que se relaje, lo que provoca un descenso en el ritmo cardiaco. La respiración profunda también inunda el cuerpo con oxígeno —su combustible primario— y expande tu pecho, lo que según los yoguis estimula el chacra del corazón (una intersección de canales de energía en el cuerpo), que es el punto asociado con el amor y la capacidad de expansión. El simple hecho de respirar profunda y lentamente puede calmarte y nutrirte a cualquier hora y en cualquier lugar.

33

Identifica previamente las zonas de dolor

Para sacar el máximo provecho a un masaje, primero tómate un tiempo para localizar con precisión los puntos que requieren atención extra. Gira suavemente la cabeza unas cuantas veces para localizar las áreas tensas del cuello o encoge los hombros repetidamente para identificar las áreas donde sientas molestias.

34 Que tu compañero masajee tu cuello

Pídele a tu compañero que te dé un masaje desestresante en el cuello para que se relajen tus nervios y se vayan las molestias; esto ayudará a que tu mente se despeje. Como preparación para este masaje, siéntate al revés en una silla cómoda y descansa tus manos sobre lo alto del respaldo. Ahora, pídele que siga estas instrucciones:

1 Parado frente a la silla (mirando la espalda de la persona), recarga los antebrazos sobre los hombros de tu compañera. Empieza presionando con un brazo. Sostenlo durante tres respiraciones lentas y entonces afloja el brazo. Repite con el otro brazo. Ahora, presiona con ambos antebrazos al tiempo que tu compañera inhala y levanta sus hombros, presionando contra tus antebrazos. Durante una exhalación, mantén presionando mientras ella se relaja y gira su cabeza en círculos lentamente.

2 Pídele a tu compañera que coloque sus codos arriba del respaldo de la silla y que apoye su frente sobre sus manos. Ahora, con la yema de tu pulgar, presiona los músculos en la base de su cráneo; presiona firmemente, pero sin que ella sienta molestia. Presiona con tu pulgar mientras ella inhala y afloja cuando exhala. Trabaja punto por punto hacia arriba y hacia un lado por un costado de su cuello hasta llegar como a unos tres centímetros detrás de su oreja. Repite los pasos en el otro lado.

3 Con las manos ligeramente dobladas, presiona con las yemas de tus dedos los músculos a ambos lados de la parte superior de la espina dorsal, cerca de la base del cráneo. Aplica pequeños movimientos circulares y ve avanzando hacia abajo a la base del cuello. Repite esta técnica tres veces más.

4 Sostén su frente con una mano, y con la otra sujeta su nuca. Masajea suavemente, subiendo y bajando sobre los músculos del cuello a cada lado de su columna vertebral, partiendo de unos tres centímetros debajo de las orejas hasta la base del cuello. Incrementa lentamente la presión conforme sientas que los músculos comienzan a aflojarse. Repite dos veces.

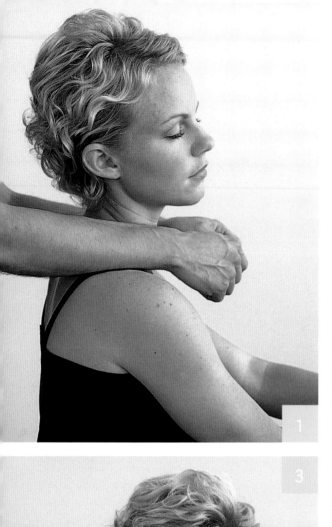

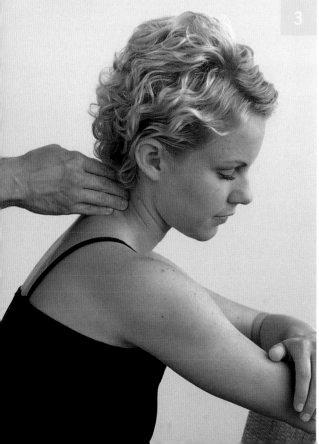

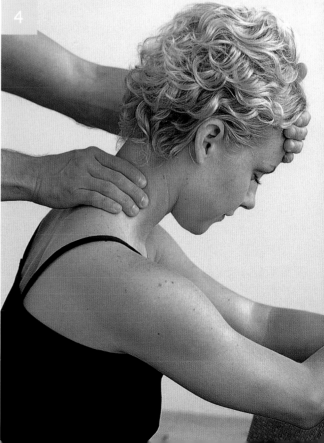

35 Relájate profundamente

La relajación profunda es una forma de meditación que tradicionalmente se ejecuta al final de una sesión de yoga para permitir que los beneficios de las posturas penetren en el cuerpo completamente.

1 Recuéstate sobre tu espalda y ponte cómoda. Para mayor comodidad, ponte una almohada debajo de las rodillas y una almohadilla relajante sobre tus ojos. Inhala, y aguantando la respiración, cierra los puños mientras vas elevando tus brazos varios centímetros por encima del piso. Aprieta los puños durante varios segundos; exhala y relájate, regresando tus brazos al piso. Ahora, inhala y, mientras aguantas la respiración, levanta las piernas y contrae sus músculos. Exhala y deja caer las piernas. Inhala profundamente e infla tu estómago y después aflójalo mientras exhalas; repite estos pasos ahora inflando el pecho. Después, balancea tu cabeza suavemente de un lado a otro durante varios segundos. Aprieta todos los músculos de tu cara y después relájala.

2 Repasa tu cuerpo mentalmente. Dedica un momento a cada parte conforme diriges tu concentración gradualmente de los dedos de los pies a la punta de la cabeza. Si sientes tensión en alguna zona en particular, visualiza esa área relajándola y aflojándola. Puedes imaginar una ola de luz cálida que asciende a lo largo de tu cuerpo, creando un estado de perfecto relajamiento físico. Tómate un tiempo para observar el ir y venir natural de tu respiración. Después de casi un minuto, pon atención a los pensamientos que surgen en tu mente, pero no les agregues ningún sentimiento. Después de otro minuto, lleva tu concienciación a mayor profundidad, hacia tu centro de serenidad dichosa. Permítete experimentar plenamente esta dicha durante varios minutos.

3 Mientras te preparas para salir de este estado de relajación profunda, dedica un minuto a respirar serenamente y a disfrutar de la concentración que has conseguido. Gira suavemente hacia tu lado derecho y coloca el brazo derecho debajo de tu cabeza; dobla las piernas y lleva las rodillas hacia tu pecho. Cuando te sientas lista para sentarte, levántate lentamente. Aunque estás regresando a la vida cotidiana, esta sensación de calma y dicha permanecerá un tiempo más, dejándote fresca y renovada.

36 Mima tus ojos con una almohadilla terapéutica

Usa una almohadilla terapéutica en los ojos para aumentar los beneficios de la meditación. Las almohadillas terapéuticas fabricadas con materiales suaves, como algodón o seda, y rellenas de cáscaras de trigo sarraceno o semillas de linaza, alivian la fatiga ocular si las presionas suavemente sobre los ojos; también te protegen de la luz. Algunas almohadillas terapéuticas pueden enfriarse o calentarse, otras contienen hierbas aromáticas tranquilizantes, como manzanilla o lavanda.

37
Siéntate en la postura "de medio loto"

Cuando se empieza a practicar la meditación, por lo regular nos sentamos con las piernas cruzadas. Sin embargo, al ir adquiriendo práctica, puedes probar la postura "de medio loto". Siéntate con la espalda erguida y suavemente levanta un pie y colócalo sobre el muslo opuesto, con la planta hacia arriba y lo más cerca posible de tu cadera. Coloca el otro pie debajo del otro muslo. Quizá te resulte más cómodo poner uno u otro pie encima o debajo de los muslos; prueba con cuál posición estás más cómoda, cualquiera está bien.

38 Equilibra tu energía alternando tu respiración

La antigua práctica de la respiración en el yoga, alternando la entrada y salida del aire a través de una y otra narinas (orificios nasales), calma y equilibra la energía física y mental, lo cual es especialmente útil para relajarse.

1 Siéntate en una posición cómoda, ya sea en una silla o sobre el piso. Mantén tu espalda y tu mentón rectos. Empieza a respirar profundamente y con regularidad, y trata de vaciar tu mente de cualquier pensamiento.

2 Cuando estés lista para empezar la respiración, junta los dedos índice y medio de tu mano derecha y pégalos sobre la palma; con el pulgar, tapa tu narina derecha y exhala a través de tu narina izquierda. Ahora inhala lenta y profundamente por tu narina izquierda.

3 Ahora, con la misma mano derecha, tapa tu narina izquierda con los dedos anular y meñique. Retira el pulgar y exhala a través de la narina derecha. Inhala lenta y profundamente por tu narina derecha y, después, vuelve a alternar tus respiraciones.

4 Sigue con esta práctica (exhalando e inhalando por un lado y cambiando al otro) de uno a cinco minutos.

39 Estimula tu cerebro mediante la respiración

Estudios acerca del cerebro han confirmado lo que el yoga siempre ha sostenido: cuando respiras a través de tu narina derecha se estimula la actividad eléctrica en el hemisferio izquierdo del cerebro, y cuando respiras por la izquierda, se estimula el hemisferio derecho. Concentrándote en cada uno de los lados conseguirás beneficios específicos.

El hemisferio izquierdo controla:
- El razonamiento analítico
- El lenguaje
- La habilidad matemática
- La aplicación del orden y los patrones
- La concentración en los detalles

El hemisferio derecho controla:
- El pensamiento intuitivo
- La creatividad
- Las sensibilidades estéticas
- La percepción del orden y los patrones
- La concentración en las generalidades

40 Relájate antes de dormir

Antes de dormir, como parte de tu rutina, realiza este sencillo ejercicio para relajar tu mente y liberarte de la tensión acumulada durante el día.

1 Acuéstate de espaldas en la cama, junta las plantas de tus pies y deja que caigan libremente las rodillas. Levanta los brazos por encima de tu cabeza con las palmas hacia arriba, une los pulgares y los dedos índices. Deja que tus brazos y piernas caigan suavemente bridando relajación a tus caderas y hombros. Conforme tu cuerpo se relaja, siente cómo tu mente empieza a vaciarse. Mantén esta postura durante un minuto, pon atención a tu respiración, mantente distante de tus preocupaciones y, entonces, relájate.

2 Avanza hacia la siguiente fase para que consigas un mayor distanciamiento del mundo exterior. Ahora colócate bocabajo, levanta los brazos por encima de tu cabeza, con las palmas hacia abajo, y dóblalos para formar un diamante juntando tus pulgares e índices. Dobla las piernas, después sepáralas, deslizándolas, y junta las plantas de los pies. Al adoptar esta postura, relaja las caderas, sin forzarlas. Si requieres un estiramiento más fuerte, empuja los pies suavemente hacia abajo. Mantente así durante diez respiraciones, llevando tu mente hacia tu ser interior. Para concluir, levanta los pies y junta las piernas.

1

41 Consigue dormirte con rapidez y permanece dormida toda la noche

Si tienes dificultades para conciliar el sueño o para permanecer dormida, quizás algunos cambios en tu estilo de vida te ayuden a lograr una buena noche de descanso. Algo muy importante es establecer una rutina de relajación antes de acostarte, como beber una taza de té de manzanilla, leer o meditar. A continuación te presentamos algunas otras ideas para poder conciliar el sueño y dormir la noche entera.

- Establece un horario para ir a acostarte y para levantarte.
- Tres horas antes de acostarte no consumas alimentos pesados o muy condimentados.

- Si bebes alcohol, procura consumir la última copa al menos dos horas antes de ir a acostarte.
- Hazte el propósito de enfrentar tus preocupaciones al otro día, no en el momento de ir a dormir.
- Haz de tu recámara un refugio: no trabajes ni veas televisión en la cama.
- Evita realizar ejercicios vigorosos cinco horas antes de tu hora de ir a dormir.
- Orina antes de meterte en la cama.
- Evita consumir café por la tarde o durante las primeras horas de la noche.
- Si te despiertas y no puedes volver a dormir, lee hasta que te venza el sueño.

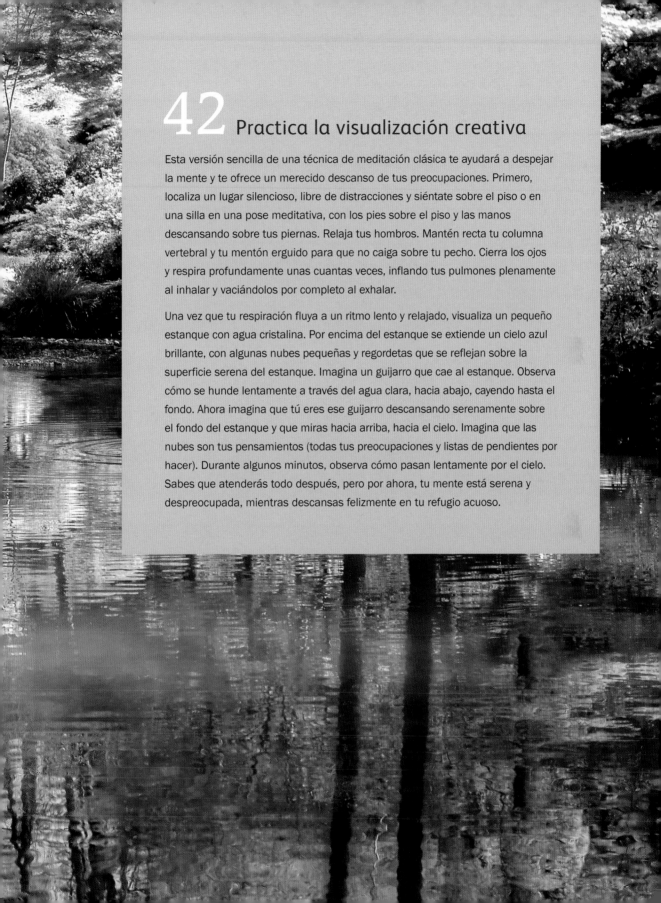

42 Practica la visualización creativa

Esta versión sencilla de una técnica de meditación clásica te ayudará a despejar la mente y te ofrece un merecido descanso de tus preocupaciones. Primero, localiza un lugar silencioso, libre de distracciones y siéntate sobre el piso o en una silla en una pose meditativa, con los pies sobre el piso y las manos descansando sobre tus piernas. Relaja tus hombros. Mantén recta tu columna vertebral y tu mentón erguido para que no caiga sobre tu pecho. Cierra los ojos y respira profundamente unas cuantas veces, inflando tus pulmones plenamente al inhalar y vaciándolos por completo al exhalar.

Una vez que tu respiración fluya a un ritmo lento y relajado, visualiza un pequeño estanque con agua cristalina. Por encima del estanque se extiende un cielo azul brillante, con algunas nubes pequeñas y regordetas que se reflejan sobre la superficie serena del estanque. Imagina un guijarro que cae al estanque. Observa cómo se hunde lentamente a través del agua clara, hacia abajo, cayendo hasta el fondo. Ahora imagina que tú eres ese guijarro descansando serenamente sobre el fondo del estanque y que miras hacia arriba, hacia el cielo. Imagina que las nubes son tus pensamientos (todas tus preocupaciones y listas de pendientes por hacer). Durante algunos minutos, observa cómo pasan lentamente por el cielo. Sabes que atenderás todo después, pero por ahora, tu mente está serena y despreocupada, mientras descansas felizmente en tu refugio acuoso.

43 Desvanece tus preocupaciones en un baño de lavanda

La lavanda es un aceite esencial muy popular. Con toda seguridad un baño aromatizado con lavanda, una fragancia tranquilizante, te aliviará tanto la piel como el espíritu. Úsala para desvanecer las preocupaciones del día.

- Llena la tina con agua caliente, pero no demasiado porque sólo terminarás sintiéndote agotada, no relajada.

- Agrega de cinco a siete gotas de aceite de lavanda mezclado con una onza de aceite base, o crea una combinación de lavanda y otros aceites esenciales tranquilizantes (lee la receta a la derecha).

- Revuelve el agua con la mano para mezclar el aceite uniformemente; no es conveniente que se acumule sobre la superficie porque el aceite no diluido podría irritarte la piel.

- Sumérgete en el agua y recuéstate, de preferencia, coloca una almohadilla para baño o una toalla debajo de tu cabeza para que te relajes de verdad.

- Disfruta el baño por media hora; agrégale más agua caliente cuando sea necesario.

**Mezcla de aceites
para baño relajante**

1 onza de aceite base
7 gotas de aceite esencial
   de lavanda
5 gotas de aceite esencial
   de manzanilla
3 gotas de aceite esencial
   de salvia

44 Tómate tu tiempo para darte un baño

Cuando tengas la oportunidad de darte un baño en la tina, sin prisas, cierra los ojos y deja que tu mente se vacíe del ruido y el recuerdo de los sucesos del día. Recorre mentalmente tu cuerpo, comenzando por la coronilla y avanzando lentamente hacia abajo; trata de identificar las áreas tensas. Cuando llegues a una zona en tensión, contrae los músculos, mantenlos así mientras cuentas hasta diez y después relájalos. Visualiza todo tu cuerpo hasta que te sientas plenamente relajada de la cabeza a los pies.

45 Cultiva la Mona Lisa que hay en ti

Cambiar conscientemente la expresión de tu rostro también te cambia el estado de ánimo. Una sencilla sonrisa ayuda a disminuir el estrés, la depresión o las incertidumbres acerca de ti misma. Te ayuda a conectar con tu centro de felicidad y te recuerda que no debes tomar las cosas demasiado en serio. Aquí tienes un ejercicio clásico, diseñado para poner una sonrisa en tu cara y mejorar tu estado de ánimo.

Cierra los ojos y sonríe. Mientras respiras profundamente, coloca el pulgar y el índice sobre las comisuras de tu boca y empújalas suavemente hacia arriba. Siente cómo la tensión se va de tu frente. Imagina que de tu sonrisa surgen oleadas de jubilosa energía que bañan todo tu cuerpo. Si te sientes tensa o con molestias en alguna parte del cuerpo, concéntrate en enviar hasta ese punto la energía positiva. Retira tu mano y repite la técnica unas diez sonrisas, hasta que comiences a sentirte como la dama serena de Leonardo da Vinci.

Una vez que te acostumbres a la manera en que tu cuerpo reacciona cuando sonríes con esta técnica, podrás alcanzar esos mismos sentimientos sin tener que cambiar la apariencia de tu rostro (ve abajo). Esto te será útil si debes estar sentada en una larga junta de negocios o en otra situación en la que sería inapropiado mostrar una expresión de felicidad sin motivo aparente.

Sonríe para borrar las arrugas

Para sonreír utilizamos cinco pares de músculos, pero a veces también trabajan muchos de los 53 músculos de la cara, especialmente cuando lucimos una amplia sonrisa o abrimos con asombro los ojos. Fruncir ligeramente el ceño requiere de más esfuerzo en los músculos que el que se emplea para una simple sonrisa; además, fruncir el ceño constantemente puede ocasionar surcos profundos en la frente.

46 Usa la astucia para atraer la serenidad

Con la práctica, puedes aprender a lograr esa sensación de Mona Lisa sin siquiera sonreír. Para comenzar, inventa una pequeña "señal física" que puedas relacionar con tu sonrisa de Mona Lisa; por ejemplo, juntar el pulgar con el índice. Realiza tu señal mientras practicas la sonrisa; después de cierto tiempo, tu cuerpo asociará la señal con sentimientos de bienestar; entonces, cuando quieras cambiar tu estado de ánimo, pero no sea apropiado mostrar una sonrisa de oreja a oreja, haz tu señal y esto desencadenará la misma sensación de calidez.

47

Conéctense meciéndose como en una cuna

Para agradecerle a tu compañero por haberte brindado un masaje, acuéstense en la cama y acurrúcate detrás de él, descansando tu mano sobre su abdomen, entre el ombligo y las costillas. Mezan sus cuerpos suavemente hacia atrás y adelante. Esta posición no solo es reconfortante, también estimula el chacra del plexo solar, creando una profunda conexión entre ustedes.

48 Desténsate con un masaje profundo

A veces se necesita un poco de ayuda para realmente destensarse después de un día ajetreado. Antes de dormir, pídele a tu compañero que te ayude a disipar tus preocupaciones con estas técnicas de masaje.

1 Comienza por rascarle la espalda; los nervios de la epidermis adoran que los rasquen, incluso a la hora de ir a dormir. Rasca suavemente toda su espalda mientras ella permanece sentada o acostada boca abajo. Sigue por sus brazos si no es demasiado sensible.

2 Los movimientos oscilatorios suaves son muy relajantes. Mientras ella está acostada con su cabeza sobre tus piernas, agarra su mano y alza su brazo hasta una altura cómoda. Durante un minuto o dos, mece su brazo de un lado a otro variando la velocidad y el ángulo para ayudarla a liberar tensión. Repite el procedimiento para el otro brazo.

3 Frota su frente con las manos, alternándolas, durante varios minutos. Los masajistas asiáticos creen que esta maniobra en particular ayuda a liberar el exceso de energía en la cabeza.

4 Concluye este masaje de interiorización con una técnica utilizada por practicantes de medicina tradicional. Coloca una de tus manos encima de la otra y descánsalas sobre el pecho de tu compañera, a la altura del corazón. Pídele que cierre los ojos y que respire con suavidad, pero profundamente, diez veces.

49 Crea vínculos mediante el tacto

El masaje es un poderoso desestresante que brinda muchos beneficios: relaja los músculos, reduce la presión sanguínea, desacelera el ritmo del corazón y disminuye los niveles de cortisol (hormona que produce el estrés). Pero el beneficio no es sólo para quien recibe el masaje, también beneficia a quien da el masaje, y va más allá de la satisfacción de ayudar a otra persona. El contacto piel con piel beneficia la liberación de oxitocina (hormona relacionada con el afecto y el amor hacia los demás), por lo que el fluir de la hormona inunda tanto al masajista como a quien recibe el masaje. El tacto es una de las maneras de estimular esta hormona "vinculadora". La oxitocina vincula a las personas emocionalmente, crea la sensación de confianza y, en general, hace que las personas se sientan bien estando juntas.

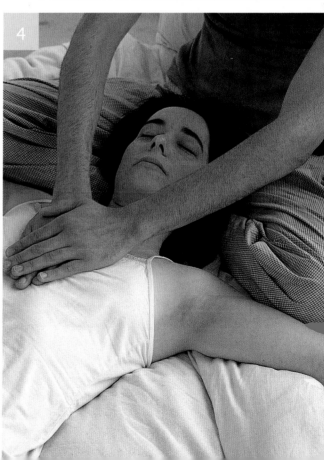

50 Libera tu mente con una caminata de meditación

Practicada a solas o en grupo, la caminata puede ser una forma de meditación. Un camino de forma circular es lo más conveniente, pero cualquier senda funciona bien. Aprovecha el movimiento para concentrarte y dejar que tu cuerpo sienta con intensidad.

1 Para empezar, mantén tus manos en una posición que te sea cómoda: sueltas a los lados, detrás de tu espalda o en posición de orar frente a tu corazón. Toma conciencia de cómo tus pies tocan el suelo y de cómo los músculos de tu cuerpo trabajan sutilmente para mantenerte erguida.

2 Comienza a caminar lentamente, apoyando tus pies en un movimiento de talón-dedos, talón-dedos. Mantén tus ojos abiertos, pero con la vista hacia abajo, y vacía tu mente de todo pensamiento, concentrándote en la sensación de desplazarte. Siente tus pies cuando tocan el suelo y cuando se alzan. Trata de mantener tus músculos relajados, liberando cualquier tensión o contracción conforme avanzas.

3 Deja que tu mente recorra tu cuerpo de manera ascendente, notando cómo cada parte contribuye al fluir del movimiento. Si lo deseas, sincroniza cada paso con una respiración o la repetición de un mantra (puede ser cualquier palabra o frase edificante que tenga un especial significado para ti.)

4 Camina durante 20 o 30 minutos. Cuando estés lista para concluir la meditación, simplemente detente de manera natural y permanece en ese lugar durante un momento. Respira profundamente varias veces, observa lo que sientes al estar inmóvil, siente tu peso descansando sobre el suelo: todo esto contribuye a darte una sensación de serenidad.

51 Prueba la meditación de caminata en grupo

Al practicar la caminata de meditación en un grupo, procura que una persona decida la ruta y marque el ritmo del paso para que los demás se concentren en meditar. Asegúrate de mantenerte siempre como a un metro de distancia tanto de la gente que va adelante como atrás de ti para que no se distraigan y, desde luego, para evitar choques.

52 Medita en cualquier lugar

Lo mejor que puedes hacer como principiante es meditar en contacto con la naturaleza, mientras caminas por un sendero o en un lugar libre de distracciones, como el tráfico, los ruidos fuertes o los lugares abarrotados de gente (sé cuidadosa cuando camines por lugares solitarios, porque podrían ser peligrosos). Cuando adquieras experiencia, serás capaz de bloquear el ruido mentalmente, de tal manera que practiques el arte de la meditación caminando por cualquier lugar, incluso la calle más ruidosa de una ciudad.

53

Estírate para mantenerte sana

Para la postura básica "del niño", haz una leve reverencia mientras vas extendiendo tus manos, con las palmas hacia arriba, dirigiéndolas hacia tus pies, doblándolas ligeramente. Usa esta postura en cualquier momento para relajar la tensión en tu espalda baja, la cadera y el cuello; es muy recomendable para relajarte de un día difícil o para descansar después de hacer ejercicio. Respira profundamente y aquieta tu mente para que descanses con tranquilidad.

54 Relájate adoptando la postura "del niño"

Encórvate y olvídate del mundo practicando la postura "del niño"; hará que se estiren suavemente tu cuello, espalda, caderas y tobillos; es una postura perfecta para descansar cuando necesitas reponerte durante una sesión de yoga u otros ejercicios.

Estando arrodillada, siéntate sobre tus talones, inclínate hacia delante y lleva tu pecho hacia las rodillas y la frente hacia el piso. Si tu frente no llega a descansar con naturalidad sobre el piso, sólo deja que tu cabeza cuelgue con naturalidad o descánsala sobre una toalla enrollada o una almohada firme. Si tienes dificultad para sentarte sobre tus talones, coloca una toalla enrollada entre la parte posterior de los muslos y las pantorrillas.

Para complementar la postura "del niño" (foto de la derecha), estira los brazos, frente a ti, sin que su abertura rebase el ancho de tus hombros, y con tus codos ligeramente flexionados. Extiende los dedos hacia delante y aprieta con fuerza los glúteos. Presiona suavemente las palmas contra el piso para sostenerte sentada sobre tus talones. Relaja los músculos, respira profundamente y aquieta tu mente por lo menos durante un minuto o dos. Para regresar a la postura básica (foto de la izquierda), mantén tu cabeza abajo y desliza tus manos con las palmas hacia arriba a lo largo de tus pies.

55 Encuentra espiritualidad mediante la postura "del niño"

La postura "del niño" entraña una reverencia. Símbolo de humildad y devoción, la reverencia significa el reconocimiento sincero de la presencia de la divinidad y su capacidad para desapegar la mente de la tendencia a juzgar y criticar a los demás. La introspección ayuda al practicante a conectarse con su corazón mientras sus brazos se extienden hacia delante a modo de ofrenda. El cuerpo y la mente descansan en una posición que puede ser percibida como la personificación del orador (persona devota). Esta postura brinda un aislamiento del ruido y del ajetreo del mundo.

56 Intensifiquen sus lazos compartiendo la respiración

Con tu pareja compartes pensamientos, sueños y abrazos; ahora compartan su respiración con esta técnica de yoga que enriquecerá la relación. Siéntense cómodamente en el piso o sobre una cama, con tu espalda descansando contra la espalda de tu pareja, de preferencia en una habitación con luces tenues y un ambiente silencioso. También pueden escuchar música instrumental o sonidos de la naturaleza, como una lluvia suave, a volumen moderado.

Coloca tus manos cómoda y suavemente sobre tus rodillas o regazo, cierra los ojos y que tu pareja también lo haga. Concéntrense cada uno en la respiración del otro y sincronicen sus respiraciones de manera lenta y profunda. Si tu mente divaga, regrésala a la sincronía de tus inhalaciones y exhalaciones. Practíquenlo todo el tiempo que necesiten.

Como una variante, siéntense con las piernas cruzadas y espalda contra espalda mientras inhalan y estiran sus columnas vertebrales. Después, colocando tu mano derecha sobre tu rodilla izquierda y tu mano izquierda en el piso a tu costado izquierdo, mientras tu pareja hace lo mismo, exhalen y giren cada uno a su izquierda, sin despegar las espaldas. Mantengan la posición durante varias respiraciones; después, regresen al centro y repítanlo, esta vez girando a su derecha.

57 Sientan fluir su energía con la postura de "la mano en el corazón"

Cuando compartes la práctica del yoga con tu pareja, desarrollas una especial conciencia de su cuerpo y ambos adquieren un estado mental que los reúne en la paz y la tranquilidad. Para realizar la postura de "la mano en el corazón" párense cara a cara, coloca tu mano izquierda sobre el corazón de tu pareja y tu mano derecha en su espalda. Que tu pareja haga lo mismo contigo.

Respiren lenta y profundamente mirándose a los ojos. Cuando inhales, trata de visualizar una luz o energía que se acumula en la profundidad de tu vientre y asciende hasta tu coronilla. Mientras exhalas lentamente, imagina esta energía regresando hacia abajo en cascada desde la coronilla, atravesando todo tu cuerpo. Después, visualiza que el mismo efecto ocurre dentro del cuerpo de tu pareja. Mantén esta postura el tiempo que desees, sintiéndote cómoda y unida a tu pareja.

Sientan el amor, la confianza y la calma entre ustedes. Si uno de los dos se siente intranquilo o con dolor, visualicen una energía sanadora que fluye desde el cuerpo del otro; si alguno acaba de recibir buenas noticias, comparta con el otro su felicidad. Aunque este no es un ejercicio que exige gran esfuerzo físico, su práctica constante brinda una intensa meditación y gran intimidad.

58

Mantén el equilibrio usando los dedos de tus pies

Si no puedes mantener el equilibrio sobre una pierna, o no puedes permanecer sin oscilar o sin encoger los hombros o inclinarte, descansa los dedos de un pie ligeramente sobre el piso. La clave es estar relajada y tranquila, no debe estresarte la falta de equilibrio. Esto mejorará con la práctica.

59 Consolídate espiritualmente con el tai chi

El tai chi es un antiguo arte marcial que se originó en China, también es conocido como *boxeo de sombra chino*. Es usado como técnica de combate, de curación y también como una forma de meditación en movimiento. En chino, *tai* significa "grande" y *chi* "energía", y su práctica implica todo lo referente a experimentar, fortalecer e incrementar el flujo de energía vital en el cuerpo. El tai chi consta de una serie de movimientos lentos, gráciles y muy poderosos, que involucran el cuerpo entero y requieren de concentración mental intensa. A una secuencia de movimientos del tai chi se le conoce como *forma*; si practicas estas formas de manera regular, te conservarás físicamente sana, mentalmente sagaz y espiritualmente estable.

60 Agudiza tu concentración con la postura "del faisán dorado"

Este popular movimiento del tai chi, a veces llamado "el gallo dorado sostenido en una pierna", te ayuda a desarrollar el equilibrio y la estabilidad; también favorece la introspección. Cuando realices este ejercicio, piensa en un pájaro que presume su plumaje e imagínate erguida y elegante.

1 Adelanta la pierna derecha y coloca el pie en un ángulo de 45 grados; deja que tu peso caiga sobre esa pierna. Mantén la espina dorsal extendida y el cóccix hacia dentro.

2 Dobla la rodilla izquierda y levanta lentamente esa pierna tan alto como puedas, manteniendo la rodilla en un ángulo que te sea cómodo, apunta los dedos del pie hacia abajo. Levanta el brazo izquierdo, doblando ligeramente el codo hacia arriba. Apunta los dedos directamente hacia arriba con la palma hacia dentro. Posiciona tu brazo derecho hacia abajo, ligeramente doblado a tu costado, con la palma paralela al piso. Para ayudarte a mantener el equilibrio, concéntrate en un punto fijo distante. Mantén los hombros relajados y hacia abajo, relaja el cuerpo en los ángulos que lo necesiten, mantén una línea recta de la coronilla hacia la parte inferior del torso. Repite la secuencia con el otro lado y luego repite por ambos lados una vez más.

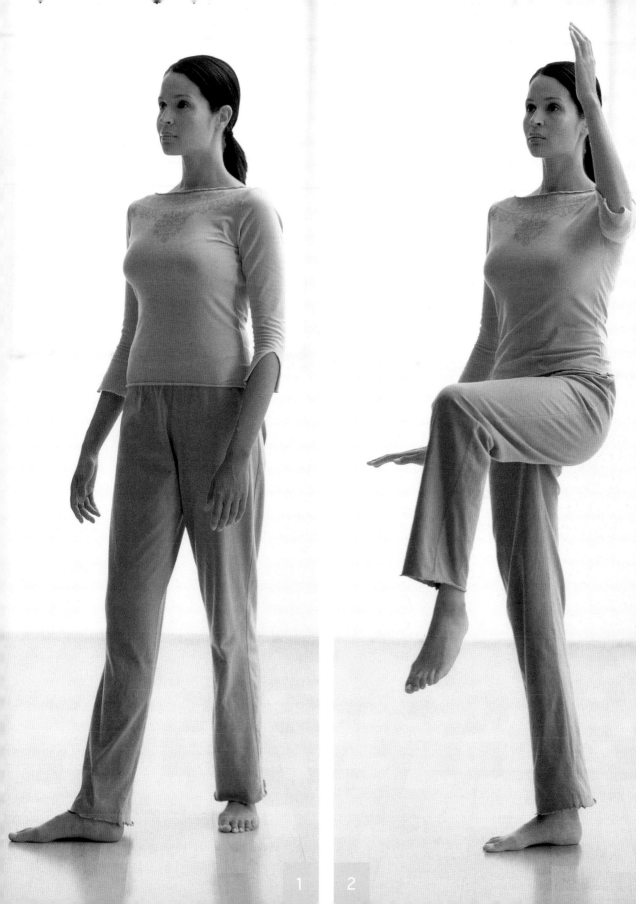

1 2

61 Recorre una senda hacia la tranquilidad

Los seres humanos han construido laberintos durante miles de años. Existen dos tipos de laberintos: los unicursales, en los cuales desde el punto de entrada hasta el centro (o el punto de llegada), no es necesario ni posible elegir el recorrido, y sólo llevan a un sitio, y los multicursales, en cuyo trazado existe la posibilidad de elegir entre distintos caminos, que si bien podrían llevarnos al destino también podrían llevarnos a callejones sin salida.

Los antiguos griegos, los nativos norteamericanos y los mayas apoyaban sus rituales sagrados con el trabajo espiritual que bridan los laberintos unicursales; los europeos de la Edad Media los construyeron en muchas de sus iglesias, y en el siglo XIII, los franceses construyeron uno de los más famosos, con incrustaciones de mármol, en la catedral de Chartres. Los diseños y materiales pueden ser diversos, pero todos los laberintos unicursales han servido como símbolos de la vida, la muerte y el misterio, ya que recorrerlos es una manera de meditar para ejercitar la introspección.

En la actualidad iglesias, parques, centros médicos, spas y escuelas cuentan con laberintos unicursales para el entretenimiento de la gente. Sea que los consideres símbolos de la senda de la vida, caminos hacia la salvación, un método para encontrar tu propia vía espiritual o apasionantes vehículos para la meditación, los laberintos unicursales te ayudarán a calmar tu mente y encontrar tranquilidad. Si no hay uno accesible cerca de donde vives, puedes construir o formar tu propio laberinto en arena o en tierra.

62 Construye tu propio laberinto

Sigue estos cuatro sencillos pasos para crear tu propio laberinto unicursal. Es particularmente fácil trazar uno en la arena.

1   Con una vara, traza una cruz como de un metro de ancho y dibuja un punto en cada cuadrante. Después, traza cuatro líneas curvas en la dirección de las manecillas del reloj, en el siguiente orden: primero, une la punta de la cruz con el punto de arriba a la derecha; después, conecta el punto de arriba a la izquierda con el brazo derecho de la cruz; luego, une el brazo izquierdo de la cruz con el punto inferior derecho, y finalmente, desde el punto inferior izquierdo, traza una línea que dé toda la vuelta hasta el brazo inferior de la cruz.

2   Mientras vas dibujando, calma tu espíritu, intenta entrar en un estado meditativo: escucha el roce de la vara conforme se desliza sobre la suave arena. Siente la caricia del sol sobre tu piel. Intenta moverte y respirar de manera consciente. Recuerda que trazar el laberinto es un tipo de meditación en movimiento.

Terminado el laberinto, siéntate en su centro; quizá desees concentrarte en determinada pregunta para encontrarle respuesta, repetir un mantra o estar sentada y en calma. Si en tu meditación irrumpen pensamientos que no deseas, tómalos en cuenta, pero en ese momento intenta despejarlos: imagina que se alejan flotando. Cuando salgas del laberinto, guarda tus observaciones y mantén la mente tranquila.

3

4

3 Haz una respiración profunda a la entrada del laberinto y despeja tu mente. Reflexiona en el viaje que estás a punto de emprender; quizá quieras formalizarlo haciendo una reverencia, diciendo una breve oración o sólo cerrando los ojos por un momento. Elige con qué intención emprenderás este recorrido: puede ser espiritual, reflexiva o lúdica.

4 Camina hacia el centro del laberinto por las sendas que trazaste. Intenta mantener tu mente en calma y deja que se disuelvan los pensamientos o las preocupaciones conforme se presenten. Concéntrate en tu andar: en poner un pie adelante del otro y en respirar tranquilamente. Al llegar al centro, siéntate y pasa algún tiempo meditando. Cuando estés lista para regresar, recorre el camino para salir del laberinto.

refréscate

Para refrescar la mente y el espíritu, elimina las telarañas mentales y aparta los pensamientos negativos. Ten presente que los estados de ánimo se contagian, así que rodéate de gente positiva o sé el catalizador que cambie la dinámica de un grupo. Actuar como si estuvieras feliz es una manera sencilla pero poderosa de hacerlo realidad.

Para renovar tu cuerpo, integra hábitos saludables a tu vida, uno a la vez: una semana podrías empezar a consumir una ración de fruta con tu dieta diaria; a la siguiente semana dar una caminata alrededor de la cuadra después de comer, y casi llegando al fin de mes incluye una rutina sencilla de estiramiento antes de irte a dormir. Prueba una por una las actividades de este capítulo y apégate a la que funcione para ti. Estas actividades son rápidas y fáciles de hacer, están diseñadas para limpiar y desintoxicar el cuerpo, aliviar el estrés, renovarte y devolverte la salud en muy poco tiempo. ❧

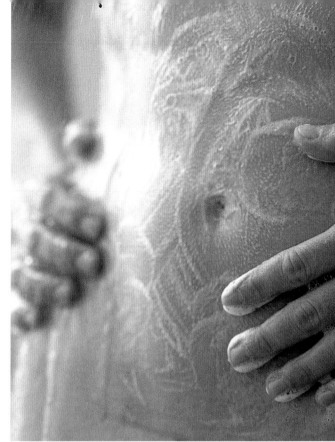

63 Agrega aceites esenciales a un tratamiento facial con vapor

El vapor abre los poros de la piel, lo que ayuda a remover cualquier impureza o residuo de maquillaje e hidrata las capas más profundas de la piel. Suaviza las células muertas, facilitando su exfoliación mediante una suave friega facial. El vapor también incrementa la circulación en la cara y relaja los músculos faciales. Para aumentar los efectos desintoxicantes y sentirte muy fresca, agrega aceites aromáticos al tratamiento.

1 Llena un recipiente con agua hirviendo. Agrega aceites esenciales de toronja y romero (ve la receta a la derecha), así como ramas de romero fresco y, si deseas, rebanadas de toronja.

2 Inclínate sobre el recipiente, cuida de mantener tu cara a unos 30 centímetros de distancia para evitar quemarte con el agua hirviendo o con el borde del recipiente. Deja que la comodidad sea tu guía; las vaporizaciones deben ser una experiencia placentera, no una prueba de resistencia.

3 Cubre con una toalla de baño tu cabeza y el recipiente para que no se dispersen los vapores y los aproveches en tu rostro; si los vapores te provocan ardor en los ojos, mantenlos cerrados.

4 Vaporiza tu cara de cinco a diez minutos.

Sécate con una toalla suave, dando ligeros toques, y mientras aún esté húmeda, aplica un humectante. Finaliza bebiendo agua en abundancia.

Mezcla desintoxicante

Recipiente grande lleno de agua hirviendo

3 gotas de aceite esencial de toronja

2 gotas de aceite esencial de romero

4 ramitas de romero fresco (opcional)

4 rebanadas de toronja (opcional)

64 Desintoxícate con el aroma de los aceites esenciales

Los expertos en aromaterapia a menudo recomiendan usar aceite esencial de toronja para aliviar el acné y tonificar la piel. Puedes usarlo en una mezcla para vaporizador o agregarlo a una base para loción y hacer un humectante curativo. El aceite de romero también sirve como astringente y tiene propiedades antibacterianas que ayudan a prevenir barros y espinillas. Otros aceites esenciales que puedes usar son el de junípero, geranio, cedro del Atlas, naranja dulce y laurel. Experimenta con aceites de una sola esencia y también con mezclas hasta que encuentres las más agradables y efectivas para ti.

65
Tuerce suavemente la espina dorsal

Las claves para obtener el mayor beneficio del yoga son estar tranquila, no esforzarse de más y, quizá la más importante de todas, tener conciencia de las habilidades de tu cuerpo. Esto es especialmente importante en las posturas que requieren torsiones.

66 Masajea el interior de tu cuerpo con una media torsión de columna

Las posturas de yoga favorecen la flexibilidad, la fuerza y también proporcionan cierta compresión que masajea los órganos internos, lo que contribuye a limpiar el cuerpo de toxinas y equilibrar sus funciones.

1 Siéntate en el piso con las piernas extendidas. Dobla la rodilla derecha y coloca el pie derecho al lado de la pantorrilla izquierda. Siéntate derecha e inhala mientras estiras tu columna.

2 Exhala mientras giras hacia la derecha, rotando el torso desde la base de tu espina dorsal hacia arriba. Coloca tu mano derecha sobre el piso, detrás de tu espalda para apoyarte, y coloca el brazo izquierdo al lado de tu pierna derecha para que puedas hacer palanca conforme giras hasta donde te sea cómodo.

3 Mira por encima del hombro derecho. Mantén la posición 30 segundos mientras prosigues con la torsión, con suavidad, e inhalas profundamente.

4 Al exhalar, regresa lentamente a la posición original. Vuelve la cabeza al frente y relaja los hombros hacia abajo conforme diriges el cuerpo a la postura inicial. Repite el proceso con el lado izquierdo.

67 Libérate de la tensión torciendo tu columna sin dejar tu escritorio

Si en tu trabajo pasas mucho tiempo sentada, es importante que descanses ocasionalmente. Prueba esta sencilla torsión que te ayudará a liberar la tensión acumulada en la parte superior del cuerpo. Siéntate de lado en una silla sin descansabrazos, con el lado izquierdo de la cadera pegado contra el respaldo, inhala y estira tu columna. Cuando exhales, gira suavemente el torso hacia la izquierda, con un movimiento que inicie en la base de tu columna y se deslice hacia arriba, agarra ambos lados del respaldo de la silla. Con cada inhalación, estira tu espina dorsal; con cada exhalación, aumenta suavemente la torsión. Visualiza cómo la torsión "exprime" la tensión tanto de tu mente como de tu cuerpo. Mantén esta postura durante 30 segundos más o menos mientras continúas respirando profundamente. Después relájate con lentitud, empezando por los hombros. Ahora, realiza la torsión hacia el otro lado, primero acomodando tu cuerpo de manera que el lado derecho de la cadera quede pegado al respaldo de la silla.

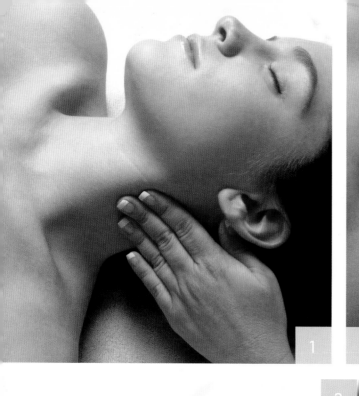

1

2

3

68 Masajea profundamente para mejorar tu circulación

El ejercicio, el estrés o una mala alimentación ocasionan la acumulación de sustancias tóxicas entre las fibras musculares. Eliminar estas sustancias ayuda a que los músculos respondan mejor, más rápido y se fatiguen menos. El masaje profundo genera un efecto de "barrido" en los fluidos del cuerpo, ya que ayuda a aflojar los depósitos de sustancias tóxicas. La manipulación profunda también mejora la circulación sanguínea, pues contribuye a que se transporte mejor la sangre que va de regreso al corazón y a los pulmones para oxigenarse y, ya limpia, recorrer el cuerpo. Al masajear hacia el corazón, presiona con más fuerza, cuando sea en sentido contrario, más ligeramente.

69 Refréscate con un masaje desintoxicante

Un masaje firme y enfocado en una determinada zona te brinda los mismos beneficios del masaje profundo (ve arriba). Acuéstate sobre tu espalda y pídele a una amiga que siga estos pasos para darte un masaje:

1 Vierte en tus manos un poco de aceite para masaje a temperatura ambiente (ve la receta de la derecha si quieres usar una mezcla casera con aceites esenciales). Con las yemas de los dedos, masajea los músculos del costado de su cuello, empezando a unos 2.5 centímetros debajo de su oreja; ve deslizando los dedos hacia abajo, en dirección al esternón.

2 Coloca tus dedos estirados sobre el esternón y deslízalos sobre los músculos pectorales hasta el frente de los hombros. Desliza tus manos hacia atrás, alrededor y por debajo de los músculos de los hombros y presiona con firmeza hacia la base del cuello. Sigue deslizando tus manos sobre el cuello, hacia arriba, a ambos lados de la columna vertebral, hasta la base del cráneo. Repite cinco veces los pasos 1 y 2.

3 Sujeta uno de sus antebrazos con toda tu mano, de manera que tus dedos lo rodeen, y sujeta por el codo con la otra mano. Presiona y desliza la mano en dirección al hombro. Sigue la curva alrededor del hombro y regresa deslizando, bajando por el brazo. Repite este procedimiento cinco veces y después realízalo con el otro brazo. Ahora, ve hacia sus piernas, acomoda tus manos de manera que queden una encima de la otra y rodea con ellas uno de sus tobillos. Presiona con tus dedos mientras los deslizas suavemente hasta la rodilla. Reduce la presión cuando pases por encima de la rodilla y continúa el deslizamiento hasta la cadera y de regreso, hasta llegar de nuevo al tobillo. Repite esta maniobra cinco veces y después masajea la otra pierna.

Mezcla de aceites para masaje desintoxicante

- 2 onzas del aceite base de tu preferencia
- 8 gotas de aceite esencial de ciprés
- 8 gotas de aceite esencial de junípero
- 5 gotas de aceite esencial de lavanda
- 4 gotas de aceite esencial de naranja

70 Acelera la circulación sanguínea con un cepillado

En esos días en los que necesitas un empujón extra para levantarte y vigorizarte, energízate con este sencillo tratamiento de dos pasos, diseñado para acelerar tu circulación sanguínea. Cepillar en seco tu cuerpo, antes de que entres en la ducha, ayuda a acelerar la circulación de la sangre y también a exfoliar la piel. Si inmediatamente después de un cepillado en seco te das una ducha, variando la temperatura del agua, también intensificas el efecto estimulante.

1 Usa un cepillo de mango largo con cerdas naturales suaves; cepilla siempre en dirección hacia el corazón (hacia abajo cuando trabajes sobre los hombros o espalda alta y hacia arriba cuando trabajes sobre las extremidades). Cepilla tu cuerpo en seco comenzando por la espalda. Ejerce una suave presión y cepilla hasta donde te alcances sin esforzarte. Después, cepilla suavemente brazos, hombros, abdomen, piernas y glúteos.

2 En la ducha, lávate con jabón y enjuágate. Baja la temperatura del agua poco a poco y enjuágate con agua fría durante 15 segundos. Vuelve a ajustar la temperatura del agua a tibia y enjuágate durante un minuto más o menos. Concluye la ducha con un chorro de agua fría de cinco segundos.

71 Barre los rastros de la edad con el cepillo

Conforme envejecemos, las células de nuestra piel se renuevan a un ritmo más lento, dejando la piel con un aspecto opaco y seco, especialmente durante el invierno. La exfoliación en seco con el cepillo desprende la capa de células muertas, dejando al descubierto la piel fresca y reluciente que está debajo; además, destapa los poros y corrige algunas imperfecciones leves. Después de exfoliar, aplícate generosamente un humectante nutritivo y emoliente.

72

Conoce lo básico acerca de los cepillos

Para cepillar tu cuerpo en seco, usa uno que tenga cerdas de fibras naturales, como cacto o palmera japonesa. Muchos cepillos tienen mangos largos para las zonas difíciles de alcanzar. Nunca uses un cepillo corporal sobre venas varicosas o en la piel con lesiones por psoriasis, eczema o con irritaciones cutáneas.

73 Equilibra tu ser con la forma del tai chi "rechazar el mono"

Cuando el mundo te abrume, los delicados movimientos del tai chi te ayudarán a restaurar tu equilibrio emocional. Da un paso atrás, literal y figurativamente, con la secuencia de pasos de la forma "rechazar el mono".

1 Encorva los brazos delante de ti como si sostuvieras una pelota grande. El brazo derecho debe quedar abajo, con la palma hacia arriba; el brazo izquierdo queda elevado, con la palma hacia abajo. Adelanta tu pie izquierdo. Agáchate, doblando las rodillas. Mantén el cóccix hacia dentro y la cabeza erguida. Levanta el talón izquierdo y apunta los dedos del pie hacia abajo. Concentra tu peso sobre la pierna posterior. La pierna derecha se sentirá "llena", mientras que la pierna izquierda se sentirá "vacía".

2 Da un paso atrás con el pie izquierdo. Al mismo tiempo, gira el brazo izquierdo hacia delante y hacia abajo y gira el brazo derecho hacia arriba.

3 Concluye con tu mano izquierda abajo, cerca de tu ombligo, con la palma hacia arriba y la mano derecha extendida delante de ti, más o menos a la altura de la oreja, con los dedos apuntando hacia el cielo y la palma hacia abajo. Ahora la pierna derecha está extendida al frente (dedos del pie hacia abajo, talón elevado) y se siente vacía; la pierna izquierda debería sentirse llena. Repite los pasos 1 a 3 por el otro lado (da un paso atrás con tu pierna derecha, con el brazo izquierdo abajo y el derecho arriba). Realiza de dos a cuatro secuencias, alternando los lados derecho e izquierdo.

La rendición como táctica

A menudo pensamos que la manera de ganar una pelea es atacar. Pero en el tai chi, la idea de ceder (yin) es tan importante como avanzar decididamente (yang). El tai chi hace hincapié en la habilidad de la persona para adaptarse y responder a las acciones de un oponente, en lo cual a veces es más poderoso retroceder que resistir, atacar o cualquier otra forma de querer ganar. Esto es válido tanto en una discusión verbal como en un combate a mano limpia.

74 Muévete y medita

Para los occidentales, acostumbrados al bombardeo de estímulos externos, no siempre es fácil calmar la mente y obtener conciencia plena del cuerpo. Incluso para las personas que se distraen fácilmente cuando practican la meditación sentadas, el tai chi ofrece una forma de meditación en movimiento que es más participativa y efectiva. El énfasis en los movimientos lentos, controlados, la concentración hacia el interior y la alineación corporal correcta, llevan al practicante a la concentración y a estar de manera plena en el momento presente.

75 Limpia profundamente tu cara

Todos nos lavamos la cara pero, admitámoslo, a veces no muy profundamente o ni siquiera nos lavamos antes de caer sobre la almohada para dormir. Sin embargo, lavarse bien la cara es un paso importante para que el rostro siga viéndose y estando en óptimas condiciones. Lava tu cara por la mañana y por la noche, a menos que tengas la piel seca, en cuyo caso, puedes no hacerlo por la mañana.

Empieza por lavarte las manos a conciencia (ve abajo); después, lava tu cara durante al menos 30 segundos con un limpiador formulado especialmente para tu tipo de piel. Las pieles secas se benefician más con una leche o crema limpiadora que con agua y jabón. La piel normal tolera muchos tipos de productos de limpieza, y el que elijas es cuestión de preferencia personal; si usas un limpiador de jabón en espuma o en barra y tu piel se siente tensa y seca después de lavarte, prueba un producto con más emolientes. La piel grasosa generalmente responde bien con una espuma o gel refrescante. Si tienes piel mixta, entonces asegúrate de humectar las áreas más secas.

76 Lávate bien las manos

Lavarte las manos con frecuencia es una de las cosas más efectivas que puedes hacer para mantenerte sana. El detalle está en que la limpieza debe ser esmerada para prevenir el contagio de alguna enfermedad.

No obstante la gran cantidad de jabones para manos con antibacterianos y desinfectantes que existen en el mercado, según los Centros para Control y Prevención de Enfermedades (CDC, por sus siglas en inglés) que funcionan en Estados Unidos de América, sólo necesitas jabón y agua. Una vez que tus manos estén mojadas y enjabonadas, frótalas hasta producir espuma. Esta es la parte importante: friégalas bien, incluso el dorso, entre los dedos y debajo de las uñas. Sigue frotándolas al menos durante 20 segundos (eso es más tiempo del que piensas: ten a mano un reloj el primer par de veces para que tomes conciencia de esto). Enjuágate muy bien bajo el chorro de agua corriente. Seca tus manos con una toalla limpia o con aire.

77

Elige tu jabón

Los jabones rompen la regla que dice que aceite y agua no se mezclan. Un componente del jabón llamado *tensoactivo* (o surfactante) tiene una estructura molecular que atrae agua por un extremo y sustancias no solubles en agua por el otro. Cuando haces espuma, el tensoactivo enlaza el aceite (y la mugre) al agua; simplemente enjuaga y se irán por el caño la mugre y la grasa pegadas a él. Si un jabón resulta agresivo para tu piel, podría ser porque contiene demasiado tensoactivo; sólo prueba con otro más suave.

78 Exfoliación total para lucir una piel radiante

La exfoliación ayuda al cuerpo a retirar las células muertas y renovar la piel que yace debajo, dándole un aspecto más sano y más radiante. Mientras te duches o bañes, unta una pequeña cantidad de gel limpiador sobre una toallita, guante para baño y esponja o estropajo natural, para lograr una exfoliación más intensa. Si tu piel es seca o sensible, usa una toallita suave o sólo tus manos: nunca exfolies piel bronceada o agrietada. Frota la toalla o estropajo para hacer espuma con el gel y después restriega todo tu cuerpo, frotando hacia el corazón para ayudar al flujo linfático.

Para modificar el tratamiento, en lugar del estropajo usa un producto exfoliante diseñado para tu tipo de piel. Primero, lávate y enjuágate en la ducha como siempre lo haces; cierra las llaves del agua. Coloca en tus manos dos cucharadas de la mezcla de azúcar (lee la receta a la izquierda) o de cualquier producto exfoliante a base de sal de mar o cáscara de nuez y aplícalo firmemente sobre tu piel con pequeños movimientos circulares, comenzando por los pies, las piernas y después los brazos. Dale atención especial a cualquier zona de piel reseca, como las que a menudo se encuentran en talones o codos. Después, exfolia los glúteos, el estómago, la espalda y el pecho; reduce la presión cuando trabajes sobre áreas delicadas, agrega más producto cuando haga falta. Enjuágate con abundante agua tibia, sécate y aplica humectante generosamente.

Mezcla dulce para exfoliación

2 cucharadas de azúcar granulado
1 cucharada de azúcar moreno
4 cucharadas de miel
2 cucharadas de jugo de limón
 o lima

79 Muestra una piel totalmente renovada

Cada día el cuerpo muda hasta 500 millones de células muertas de la epidermis (capa superior de la piel). Si estas células permanecieran, formarían una capa gruesa que impediría el paso de la humedad y la piel tendría un aspecto seco o escamoso. La exfoliación ayuda al cuerpo a desechar las células muertas y renovar la piel, mostrando una nueva capa más sonrosada. También ayuda a estimular la circulación sanguínea, remover vellos atorados y desprender mugre y grasa excesivas. Conforme envejecemos, las células muertas tardan más tiempo en ascender a la parte superior de la piel para después caerse; por ello, la exfoliación debe convertirse en un ritual de belleza de gran importancia.

80 Equilíbrate liberando la tensión de la columna vertebral

Obtén calma y equilibrio emocional después de ejecutar estas dos posturas que liberan tensión en los músculos de cuello, hombros y espalda.

1 Para realizar la postura "de las alas dobladas", siéntate cómodamente sobre el piso con las piernas cruzadas, estira tu columna vertebral, entrelaza los dedos y coloca las manos en la parte posterior de tu cabeza. Inhala mientras empujas los codos hacia atrás, presiona con suavidad sobre la cabeza y extiende ampliamente los omóplatos.

2 Exhala mientras doblas los brazos hasta que toquen las orejas, estira la parte posterior del cuello y desplaza el mentón hacia el pecho. Después, inhala conforme levantas la cabeza y llevas nuevamente los codos hacia atrás. Repite estos movimientos de apertura y cierre durante cuatro respiraciones.

3 Incrementa esta sensación de relajamiento practicando la postura "de la foca". En la misma posición sentada con las piernas cruzadas, lleva las manos atrás de tu espalda y sujeta con suavidad la muñeca de tu mano dominante (derecha si eres diestra, izquierda si eres zurda) con tu otra mano. Inhala y estira la columna; después, exhala mientras te doblas hacia delante desde la cadera. Mantén las manos relajadas contra la espalda. Deja que la cabeza cuelgue hacia el piso o descanse contra él. Si esto te resulta incómodo, coloca un cojín firme, o una toalla enrollada debajo de tu cabeza. Dirige tu mente hacia un lugar de quietud absoluta. Mantente así durante 30 o 60 segundos; después, regresa a la posición sentada durante una inhalación.

81 Arquear para estirar

Sentada en el piso en una posición cómoda, coloca tu mano derecha sobre el piso al lado derecho de tu cuerpo. Levanta la mano izquierda con el pulgar apuntando hacia atrás. Inhala y estírate hacia arriba, después exhala y arquéate hacia la derecha. Deja que el brazo derecho se doble, estira lo más que puedas el brazo izquierdo mientras miras de frente. Mantén tu pecho erguido y sostén la postura de cuatro a ocho respiraciones, inhalando conforme te enderezas. Repite hacia el otro lado.

82 Respira adecuadamente

Cuando practiques yoga, trata de ponerle atención especial a tu respiración. En yoga, la inhalación generalmente va ligada a movimientos que expanden el pecho y el abdomen, y la exhalación corresponde a movimientos que comprimen el abdomen. Cuando mantengas una postura, trata de respirar a través de tu nariz y nunca aguantes la respiración, a menos que específicamente se pida, porque fuerzas a tu cuerpo.

83 Desinflama la piel con aceite de árbol del té

Si tienes la piel grasosa o propensa al acné, el uso regular de una mascarilla de limpieza profunda hecha con aceite de árbol del té, ayudará a minimizar las erupciones y a mantener bajo control el brillo excesivo y la grasa.

La piel grasosa es resultado del exceso de secreción de las glándulas sebáceas o de una abundancia de ellas. La película grasa que resulta puede taponar los poros y contribuir a la aparición de barros y espinillas, especialmente en la zona T de la cara (frente, nariz y mentón). Las propiedades de limpieza profunda del aceite de árbol del té ayudan a combatir estos problemas, y por sus cualidades antibacterianas, se suavizan las manchas e impide que se formen nuevas. El aceite de árbol del té también ayuda a prevenir infecciones en las cortaduras leves.

Después de limpiarte la cara, aplícate una mascarilla facial a base de aceite de árbol del té (hay disponibles muchos productos comerciales excelentes o prepara la receta de la derecha para una versión casera). Unta una capa delgada y uniforme sobre tu cara, evitando el área de los labios y los ojos. Déjala que actúe durante diez minutos. Para retirarla, enjuágate la cara con agua tibia y limpia cualquier residuo con una toallita húmeda.

Un gel a base de aceite de árbol del té suaviza e hidrata la piel sin ser pesado o irritante. Aplica una cantidad de este gel del tamaño de una moneda mediana sobre los dedos limpios y masajea la piel con él.

Mascarilla de limpieza profunda

1½ cucharadas de caolín
(arcilla blanca, vista arriba)
1 cucharada de harina de avena
3 a 4 cucharadas de jugo
de naranja
1 cucharada de hojas de menta
finamente picadas
1 cucharada de aceite de oliva
5 a 8 gotas de aceite de árbol
del té

84 Humecta cualquier tipo de piel

Aun la piel grasosa necesita humectación diaria. Algunas recomendaciones de la Academia Americana de Dermatología (AAD, por sus siglas en inglés) son: usa un humectante que sea ligero y no comedogénico (que no tapona los poros) y que contenga un bloqueador solar de espectro amplio (FPS [factor de protección solar] de 30, por lo menos). Evita los productos con mantequilla de cacao, canela o aceite de coco. Por la noche, aplicar una crema ligera enriquecida con vitamina A (retinol), seguida por un humectante para estimular la producción de colágeno, ayuda a prevenir estrías y arrugas finas y a reducir la irritación. Evita lavar en exceso la piel grasosa, porque se puede resecar. Si esto ocurre, las glándulas aumentan la producción de aceite, lo que resulta en erupciones más frecuentes.

85 Hidrátate pensando en tu salud

En el mercado puedes encontrar muchas pociones exóticas que presumen de todo tipo de beneficios para la salud, pero la más simple (y menos costosa) es el agua. Después de oxígeno, lo que más necesita el cuerpo es agua. Todos los sistemas del cuerpo dependen del agua para funcionar correctamente: el agua le da elasticidad a la piel, lubrica las articulaciones y los músculos, combate la fatiga y ayuda a expulsar las toxinas del cuerpo. Incluso una deshidratación menor está relacionada con el cansancio, fallas en la memoria, concentración defectuosa e irritabilidad; la deshidratación severa incluso puede amenazar la vida.

Así que, ¿cuánto de este elíxir mágico necesitas en realidad? Todo el mundo ha escuchado el consejo "bebe ocho vasos de agua al día", pero los requerimientos individuales varían y la actividad física, la exposición al calor y las enfermedades afectan los requerimientos de cada día. La mayoría de la gente sana consume lo suficiente con los alimentos y al sentir sed. En Estados Unidos, el Instituto de Medicina recomienda que las mujeres consuman aproximadamente 2.7 litros de agua cada día. Además del agua simple, también cuenta el agua contenida en bebidas como jugos, leche, café y té, así como la contenida en los alimentos, la cual representa cerca del 20 por ciento de nuestra ingesta de agua.

Una prueba fácil para saber si necesitas beber más agua es el color de tu orina. Si estás debidamente hidratada, debe ser de color amarillo pálido, si está más oscura o tiene un olor más fuerte, debes aumentar la ingesta de fluidos. (Nota: Las vitaminas y ciertos alimentos pueden afectar el color de la orina.)

86
Incrementa tu relajación

Para complementar el efecto relajante de frotar la frente, también libera la energía acumulada en la cabeza con algunos pases sobre ella. Cierra los ojos y cubre la frente con una mano, descansando la palma y los dedos sobre el entrecejo. Frota suavemente de las cejas hasta la coronilla. Cambia de mano y repite. Alternando las manos, realiza unas dos docenas de pases.

87 Masajea la frente

Un masaje en la frente ayuda al drenado linfático y reacomoda los músculos faciales en sus posiciones habituales. El masaje facial no sólo alivia la tensión; de hecho, también mejora tu apariencia porque beneficia la circulación sanguínea, lo que ilumina tu rostro; además, relaja los músculos, quitándote esa expresión de agobio.

1 Toma una posición cómoda y relájate. Cierra los ojos y coloca el dedo medio de cada mano en las esquinas internas de tus cejas (la parte más cercana a la nariz).

2 Aplicando presión firme pero suave, traza lentamente un camino desde arriba de las cejas hasta las sienes (la presión firme ayuda a aliviar la tensión muscular) y regresa a la posición de inicio.

3 Vuelve a barrer los dedos hacia fuera, esta vez recorriendo desde debajo de las cejas hasta las sienes. Ten cuidado de presionar sobre el hueso del entrecejo y no sobre los ojos.

4 Para el tercer pase, traza un camino desde el punto más profundo de las cejas hasta el nacimiento del cabello. Desliza los dedos sobre la frente y desciende hasta las sienes. Realiza tres series completas de estos pases.

88 Conserva una piel suave y juvenil

El movimiento de los músculos faciales pliega la piel y el proceso de envejecimiento (pérdida de colágeno y grasa facial) puede convertir esos pliegues en surcos. Si a esto se agregan los efectos del sol o de fumar (se ha descubierto que fumar activa un gen que destruye el colágeno), obtendrás una receta efectiva para provocarte arrugas. Para ayudar a retardar la formación de arrugas, aplícate cremas humectantes y un bloqueador solar con antioxidantes; no fumes y usa lentes oscuros y sombrero de ala ancha cuando estés al exterior. El masaje también ayuda a relajar los músculos faciales, lo que contribuye a reducir los pliegues.

1
2

3
4

89 Prepara una cataplasma de lodo

Cuando no puedas o no tengas tiempo de darte un baño de lodo en todo el cuerpo, una cataplasma es una manera efectiva de aprovechar los beneficios sanadores y desintoxicantes del lodo.

1 Para preparar la cataplasma, utiliza lodo terapéutico espeso (no debe estar aguado). Agrega más o menos una taza de lodo en un tazón pequeño de metal. Llena dos terceras partes de un tazón más grande con agua hirviendo. Coloca dentro del agua el tazón con lodo, con cuidado para que no se moje el lodo. Revuelve el lodo ocasionalmente.

2 Corta un cuadrado de tela muy porosa (como estameña o gasa pesada) de 30 por 30 centímetros. Colócalo sobre una superficie resistente al calor. Cuando el lodo se haya calentado completamente, saca el tazón pequeño del agua caliente. Con una espátula, vierte el lodo en el centro del cuadrado de tela. Dale forma al lodo de manera que tenga un espesor de 3 a 6 centímetros. Dobla cada esquina de la tela por encima del lodo para formar un paquete.

3 Coloca la cataplasma de lodo directamente sobre cualquier área del cuerpo donde sientas molestia. Asegúrate de mantener hacia arriba las puntas dobladas de la tela y la superficie porosa sobre tu piel. Envuelve el área con plástico para conservar el calor y cúbrela con una toalla. Deja la cataplasma en esa posición durante 20 o 30 minutos.

Cataplasma de lodo

1 taza de lodo terapéutico espeso
1 tazón pequeño de metal
1 tazón grande
Agua hirviendo
1 cuadrado de 30 por 30 centímetros
  de tela muy porosa
Espátula
Plástico para envolver
Toalla

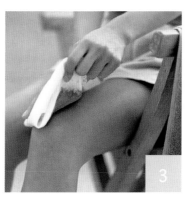

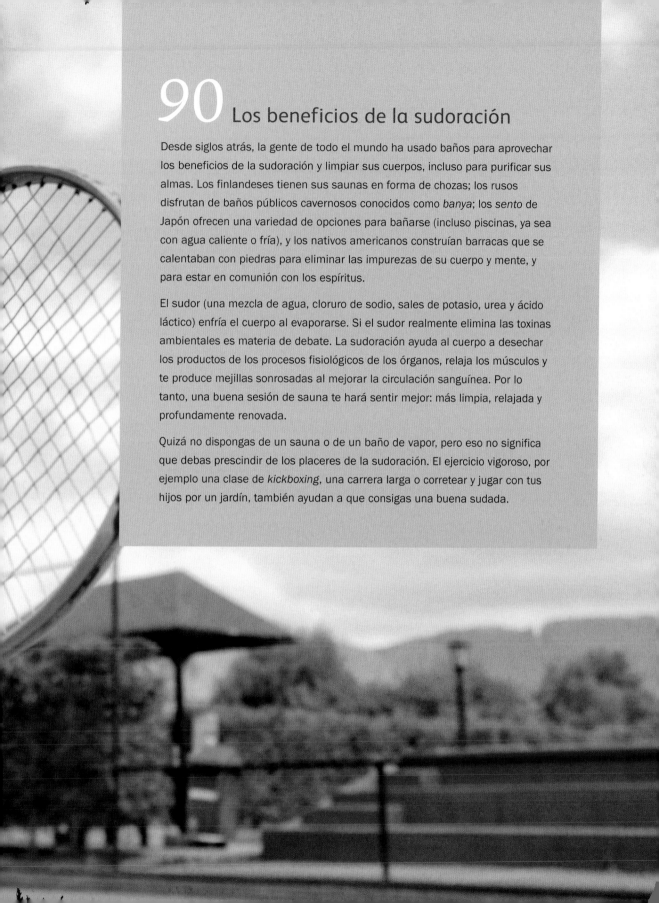

90 Los beneficios de la sudoración

Desde siglos atrás, la gente de todo el mundo ha usado baños para aprovechar los beneficios de la sudoración y limpiar sus cuerpos, incluso para purificar sus almas. Los finlandeses tienen sus saunas en forma de chozas; los rusos disfrutan de baños públicos cavernosos conocidos como *banya*; los *sento* de Japón ofrecen una variedad de opciones para bañarse (incluso piscinas, ya sea con agua caliente o fría), y los nativos americanos construían barracas que se calentaban con piedras para eliminar las impurezas de su cuerpo y mente, y para estar en comunión con los espíritus.

El sudor (una mezcla de agua, cloruro de sodio, sales de potasio, urea y ácido láctico) enfría el cuerpo al evaporarse. Si el sudor realmente elimina las toxinas ambientales es materia de debate. La sudoración ayuda al cuerpo a desechar los productos de los procesos fisiológicos de los órganos, relaja los músculos y te produce mejillas sonrosadas al mejorar la circulación sanguínea. Por lo tanto, una buena sesión de sauna te hará sentir mejor: más limpia, relajada y profundamente renovada.

Quizá no dispongas de un sauna o de un baño de vapor, pero eso no significa que debas prescindir de los placeres de la sudoración. El ejercicio vigoroso, por ejemplo una clase de *kickboxing*, una carrera larga o corretear y jugar con tus hijos por un jardín, también ayudan a que consigas una buena sudada.

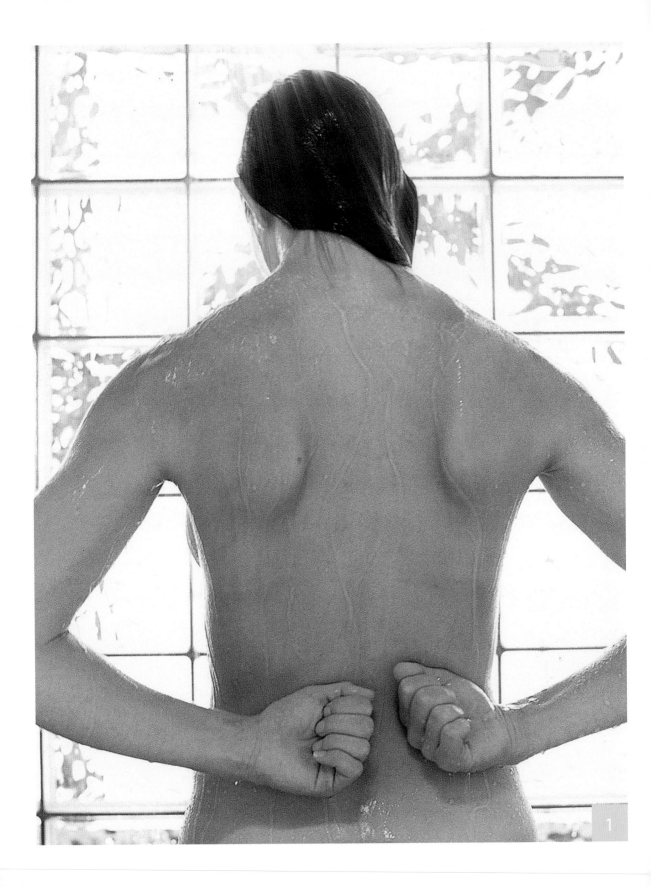

91 Desintoxícate

Si la noche anterior te excediste un poco, sólo el tiempo despejará tu mente y apaciguará tu estómago; estas sencillas técnicas de desintoxicación te ayudarán a acelerar el proceso.

 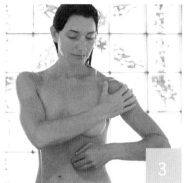

1 Dale una mano a tus riñones golpeteándolos suavemente para favorecer su proceso de filtración. Inclínate ligeramente, pasa las manos a tu espalda, cierra los puños sin presionarlos y golpea suavemente debajo de las costillas, unas 12 veces de cada lado, aplicando una presión que no te cause dolor.

2 Para mitigar las náuseas y la jaqueca, presiona con los pulgares sobre los músculos y puntos de acupresión a lo largo de tu cráneo y cuello. Comienza por colocar los pulgares en la base del cráneo, uno en cada lado de la parte superior de la columna vertebral. Presiona durante dos respiraciones, afloja y deslízalos 2.5 centímetros hacia fuera; repite hasta que llegues a unos 2.5 centímetros de las orejas. Regresa a lo alto de la columna y vuelve a presionar de cada lado (esta vez deslizando los pulgares hacia abajo a lo largo del cuello, hasta que llegues a la parte superior de los hombros.

3 En el shiatsu, el punto conocido como spleen 16 es básico para aliviar los síntomas de la resaca. Usando las puntas de los dedos, localiza la parte inferior de la caja torácica y mueve la mano hasta donde quede directamente alineada con el pezón. Busca una ligera depresión en el hueso y presiónala suavemente hacia arriba, en dirección a las costillas. Mantente en el punto mientras cuentas diez respiraciones completas. Repite por el otro lado.

92 Combate una resaca

- Bebe agua en abundancia para rehidratar tu cuerpo; agregarle un poco de jugo de limón reforzará el efecto desintoxicante.

- Revive con una compresa fresca a la que le hayas salpicado tres gotas de aceite esencial de lavanda, hierbabuena o romero. Si sientes náuseas, puedes usar aceite de rosa o de sándalo.

- Toma un suplemento de vitamina B; cabe mencionar que esto es más efectivo si se toma justo antes de la noche de fiesta, pero de todos modos te ayudará a sentirte mejor la mañana siguiente.

93

Alivia la ansiedad al viajar en avión

Si la idea de abordar un avión te acelera el pulso, prueba esta sencilla técnica para controlar tus temores. Coloca un par de cojinetes de algodón salpicados con unas gotas de aceite esencial de lavanda y limón en una bolsa de plástico con cierre y llévala a bordo contigo. Si comienzas a sentir ansiedad, abre la bolsa e inhala el reconfortante olor que despiden los aceites aromáticos. Cierra los ojos, concéntrate en respirar lenta y profundamente, mientras meditas durante algunos minutos.

94 Mantente flexible durante el vuelo

Estar sentada durante periodos largos ocasiona que se endurezcan los músculos e impide la libre circulación sanguínea. Anticípate a estos problemas estirándote discretamente en el asiento del avión. Durante vuelos largos (o viajes en coche o autobús), intenta realizar todos estos pasos cada dos horas.

1 Para provocar una respiración más profunda y avivar la circulación, presiona ambos codos con firmeza contra el asiento; arquea el pecho hacia delante e inhala y exhala tres veces mientras mantienes la presión con tus brazos. Relájate, arqueando ligeramente la espalda. Repítelo de tres a cinco veces hasta sentir que el corazón bombea con menos fuerza.

2 Levanta ambos brazos, dobla los codos y agarra el codo izquierdo con la mano derecha. Respira hondo, después exhala y jala el codo suavemente hacia la derecha. Inclínate un poco hacia la derecha, tratando de extender el estiramiento hasta la cintura. Mantente así durante unos dos segundos; luego siéntate derecha y descansa las manos encima de la cabeza mientras inhalas profundamente. Repite el proceso mientras exhalas, estirando unos centímetros más lejos cada vez. Repite el proceso con el lado derecho.

3 Mejora la circulación en las piernas usando la técnica de compresión del masaje deportivo. Descansa un tobillo sobre el muslo opuesto. Con la base de la palma de la mano, presiona con firmeza la pantorrilla, como si lo bombearas rítmicamente; trabaja todos los músculos del tobillo hasta la rodilla. Después, activa el flujo de sangre a tus piernas apuntando con los dedos del pie hacia abajo y luego hacia arriba. Flexiona así cada pie unas 12 veces.

4 Agarra el antebrazo derecho con la mano izquierda. Coloca la parte superior del puño justo arriba de la rodilla derecha. Presiona hacia abajo sobre esa pierna con la parte plana de tus nudillos, inclina el cuerpo hacia adelante para hacerlo con más fuerza. Afloja, mueve el puño unos 2 o 3 centímetros hacia la cadera y repítelo. Recorre el muslo entero de esta manera, balanceando tu peso rítmicamente hacia delante y hacia atrás. Luego cambia de lados y repítelo con la otra pierna.

1

2

3

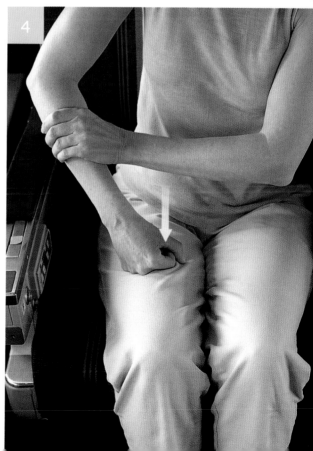

4

95 Mantén un ambiente saludable en tu oficina

Por su propia naturaleza, la mayoría de los sitios de trabajo son nocivos para nuestra salud, con todos esos colegas, visitantes y clientes estornudando y tosiendo, todo ese aire viciado circulando y recirculando. Quizá no puedas abrir las ventanas de par en par o convencer a tus compañeros para que se queden en casa si están enfermos, pero puedes llevar un poderoso aliado en la batalla contra los gérmenes de la oficina: los aceites esenciales. Se ha demostrado que un buen número de ellos poseen propiedades antibacterianas, antimicóticas y antivirales. Los aromas de la mayoría de estos aceites tienen efectos psicológicos benéficos, y se dice que en algunos casos ayudan a reforzar el sistema inmunológico.

Entre los aceites esenciales que más gérmenes eliminan están los de tomillo, árbol del té, lavanda de pico, pino, abeto, romero y eucalipto. Difundir estas fragancias en tu oficina es una manera excelente de aprovechar sus cualidades terapéuticas. Los difusores eléctricos son los mejores para este fin porque, además de esparcir la fragancia, reducen el riesgo de sobrecalentamiento, lo que provoca que se destruya algo de la potencia de los aceites. También puedes agregar unas gotas de tu aceite esencial predilecto en un poco de agua en un tazón pequeño y colocarlo en el área de trabajo, o dejar caer algunas gotas sobre bolitas de algodón y ponerlas cerca (pero no encima) de un radiador o rejilla de calefacción.

Una advertencia: ten presente que la fragancia que a ti te encanta, quizá le resulte desagradable a tus compañeros de trabajo. Pregúntales si alguno de los aceites les molesta y utiliza los que sean agradables para todos (o por lo menos inofensivos).

96 Adquiere energía al instante

En lugar de depender de la cafeína, elimina el cansancio y eleva los niveles de concentración en el trabajo con aceites esenciales: hierbabuena, para refrescar y estimular; limón, para reanimar y vigorizar, y naranja dulce, para equilibrar y mejorar el estado de ánimo. Usa cualquiera de estos aceites con un difusor o esparce un poco del aceite en un pañuelo desechable y mantenlo en tu escritorio. (Evita el contacto directo con la piel cuando utilices aceites esenciales sin diluir.)

97

Recárgate de energía con tomillo

Con sus propiedades antisépticas, antibacterianas, antivirales y antimicóticas, el tomillo (foto de arriba) es uno de los más potentes germicidas en el botiquín del especialista en aromaterapia. Sin embargo, ten cuidado: aunque es apropiado para usarlo en un difusor, el aceite esencial de tomillo que contiene carvacrol (un fuerte antiséptico) es muy irritante al contacto con la piel.

98 Gira el torso para estimular tu sistema inmune

El yoga te ayuda a mantenerte sana y en buena condición física, ya que estimula los sistemas linfático y endocrino porque tranquiliza el sistema nervioso. Para este ejercicio que estimula la inmunización, párate con los pies juntos y los brazos colgando relajadamente a los lados. Comienza a girar suavemente tu torso de lado a lado, dejando que tus brazos se columpien y golpeen ligeramente contra tu cuerpo. Aumenta la velocidad poco a poco de manera que la fuerza de las torsiones levanten los brazos alejándolos del cuerpo. Continúa durante un minuto o dos para estimular las glándulas linfáticas en tus axilas.

Reanima tu sistema inmunológico con el yoga

Por su naturaleza meditativa y tranquilizante, el yoga induce a un estado de relajamiento. Cuando el cuerpo está relajado, libera menos hormonas del estrés (que tienen efectos negativos sobre el sistema inmunológico) y produce endorfinas, que estimulan el sistema inmunológico, reducen el dolor y activan los centros de placer del cerebro.

99 Relájate en un ángulo recto

Elige una zona con una pared despejada. Acuéstate en el piso y recarga las piernas sobre la pared, con las rodillas ligeramente dobladas, manteniendo tus glúteos pegados al muro; acomoda la espalda y descansa los brazos en el piso con las palmas hacia arriba. Alinea el cuerpo de manera que los hombros cuadren con la cadera; los brazos extendidos deben quedar separados del cuerpo, al lado de la cadera, formando un ángulo. Mientras te sientas cómoda, mantente así de uno a cinco minutos. Para salir de la postura, baja las rodillas lentamente hacia el pecho y luego rueda hacia un lado.

100 Usa un almohadón para estirarte

Coloca un almohadón o una almohada firme en el piso, por ejemplo una cobija enrollada, y acuéstate en ella, de manera que soporte la parte superior de la espalda mientras la cabeza cuelga hacia atrás tocando el piso (asegúrate de que esta posición no te sea incómoda, en especial si tienes problemas en el cuello o la espalda; no los tenses indebidamente). Mantén juntas las piernas, y tamborilea suavemente con las puntas de los dedos sobre el esternón (el centro de tu pecho) para estimular el timo, una importante glándula que regula el sistema inmunológico. Realiza este ejercicio durante más o menos un minuto, y después ayúdate con los brazos para sentarte.

101 Mantente segura bajo el sol

Todos sabemos que debemos usar bloqueador solar diariamente, sea que el día esté soleado o lluvioso, para prevenir el cáncer de la piel y las arrugas prematuras. Estos consejos te ayudarán a protegerte del sol.

El mejor bloqueador solar es el que puedas usar todos los días. Se recomienda uno con protección de espectro amplio contra las radiaciones ultravioletas A y B, un FPS de 30 o más y que sea resistente al agua. Utiliza productos con usos múltiples, como un humectante con color. Para la piel seca puedes usar lociones y cremas, gel para el cuero cabelludo y productos en barra para el contorno de los ojos y los labios.

Usa un sombrero de ala ancha, lentes de sol que cubran los ojos y su contorno y que bloqueen las radiaciones UVA y UVB, usa ropa adecuada para proteger tu piel de la exposición solar. Protégete bajo la sombra cuando te sea posible y programa tus actividades a la intemperie antes de las 10:00 a.m. o después de las 2:00 p.m. Si quieres lucir bronceada, usa un autobronceador. ¡No recurras a camas de bronceado! Hacerlo antes de los 35 años aumenta el riesgo de melanoma en un 75 por ciento, pese a lo cual en Estados Unidos mantiene su popularidad, especialmente entre las mujeres de 18 a 25 años.

102 La medida es un trago

Un error común en la aplicación de bloqueador solar es no usar suficiente: la mayoría de·la gente aplica sólo de 25 a 50 por ciento de la cantidad recomendada; usa por lo menos una onza del producto, lo que equivale a un caballito de licor. Lo que debes hacer es cubrir generosamente toda la piel expuesta con un bloqueador solar de espectro amplio y resistente al agua, que tenga un FPS de 30 o más.

103 Programa tu revisión para el día de tu cumpleaños

El cáncer de piel es una las enfermedades neoplásicas más comunes en Estados Unidos; el melanoma es el tipo más mortal. Sin embargo, el cáncer de piel puede tratarse cuando se detecta en sus primeras fases. Conoce bien tu piel para que identifiques cambios en ella. Que tu cumpleaños sea un recordatorio para que te autoexamines a conciencia anualmente. Lleva a cabo la revisión en un lugar bien iluminado y usa un espejo para observarte por completo, desde detrás de las orejas hasta los espacios entre los dedos de los pies. Si detectas cualquier cosa en tu piel que esté cambiando, creciendo o sangrando, acude al dermatólogo.

104 Bebe (té) a tu salud

Después del agua, el té es la bebida más popular del mundo. Lo más usual desde hace mucho tiempo es tomar una simple taza de té para calentar el cuerpo y calmar los nervios; instintivamente, mucha gente busca beberlo cuando se siente enferma o fatigada. Hoy en día los investigadores saben que estas infusiones también ofrecen muchos beneficios saludables, entre ellos la prevención de varias enfermedades.

Los hojas de té negro, verde, blanco y oolong (cualquier té derivado del arbusto perene *Camellia sinensis*, que no está incluido en otras variedades herbales) son ricas en sustancias llamadas polifenoles, que contienen antioxidantes que contribuyen a combatir enfermedades, incluso afecciones cardiacas y diversos tipos de cáncer. El aminoácido L-teanina, que se encuentra en el té, estimula las defensas del cuerpo contra infecciones bacterianas, virales, micóticas y parasitarias. Beber té puede proteger contra la osteoporosis y algunos tipos de alergias. Recuerda que los tés helados y calientes tienen la misma cantidad de antioxidantes, pero ten presente que algunos tés industrializados y embotellados tienen niveles bajos de antioxidantes y alto contenido de azúcar.

Elígelo a granel o en bolsa

Los beneficios para la salud son los mismos si usas té a granel o en bolsitas. Reposa el té dejando que se remoje durante por lo menos tres minutos para que libere antioxidantes y otras sustancias útiles.

Conoce tu té

Que los medios de comunicación masiva hayan promovido los numerosos beneficios del té ha dado como resultado una explosión de variedades exóticas disponibles en tiendas y en línea; pero las diferencias entre las principales variedades pueden confundirnos. Aquí tienes una guía rápida para ayudarte a distinguirlos.

TIPO	TÉCNICA DE PROCESAMIENTO	CARACTERÍSTICAS
Negro (también conocido como té rojo)	Las hojas aún verdes se desecan, luego se enrollan. La oxidación oscurece las hojas. El desecado se lleva a cabo en hornos.	Sus sabores van de la nuez y las especias a los florales. Representa aproximadamente 90 por ciento del consumo de té en Occidente.
Verde	Se desecan las hojas, después se cuecen al vapor o se fríen en un sartén; luego se enrollan y se dejan secar. Las hojas no se oxidan.	Suave, de sabor herbal y ligeramente amargo. Es el té más popular de Asia.
Blanco	Las hojas se cosechan cuando aún conservan su coloración blanca. Se cuecen al vapor y se secan friéndolas en un sartén. No se oxidan.	Sabores delicados, complejos y dulces. Es el té más raro y costoso.
Oolong	Después de marchitarse, las hojas se maceran y se dejan oxidar parcialmente. Se fríen en sartén para secarlas.	Sabores fragantes y naturalmente dulces. Sus propiedades oscilan entre las de los tés negro y verde.

105 Sana (totalmente) tu comida

Si bien "comer sanamente" es casi una moda, la realidad es que siguen vigentes las mismas reglas que hemos escuchado durante años. Evita los alimentos industrializados, consume todo tipo de granos (semillas y cereales), restringe las "grasas malas", disfruta, en la medida de lo posible, de más alimentos naturales y consume de cinco a seis comidas pequeñas al día. Como en la excelsa frase del connotado autor Michael Pollan: "Consume alimentos, no demasiados, sobre todo verduras."

■ Empieza tu régimen de comida sana en el supermercado. Limítate al área donde se expenden los alimentos frescos. La meta es comprar alimentos orgánicos y tan frescos como en su estado natural (todas las frutas, vegetales, nueces, semillas) y evitar alimentos industrializados. ¡Lee las etiquetas! Comer sanamente implica menos (y más saludables) ingredientes en la lista. Una regla básica es nunca comer alimentos envasados que contengan más de cinco ingredientes, o alguno que no identifiques.

■ No consumas azúcar refinada ni productos con azúcar agregada. En su lugar usa edulcorantes líquidos naturales, como las mieles de abeja, de agave o de maple. Súrtete de "súper alimentos" como higos, aguacates, miel, zarzamoras, salmón, aceite de oliva, arroz integral, col verde, camotes y yogur griego; la lista es casi interminable. Algunos parecen sobrevalorados, pero lo cierto es que cada uno está repleto de nutrientes saludables.

■ Ten presente el índice glucémico (IG) de los alimentos. Los alimentos con carbohidratos que se descomponen rápidamente y liberan glucosa en el torrente sanguíneo, como la harina blanca, tienden a poseer un IG alto, mientras que los carbohidratos que liberan glucosa más gradualmente, como todos los granos, tienen un IG bajo. En términos generales elige los alimentos con un IG bajo: todos ellos son muy saludables y te harán sentir satisfecha por más tiempo.

Si anteriormente llevaste una dieta de alimentos industrializados y no te gustan los nuevos sabores, ten presente que las papilas gustativas pueden adaptarse; date tiempo para acostumbrarte. Cuando empieces a adaptarte a esta nueva manera de comer, quizá conozcas filosofías diferentes, por ejemplo, algunas que permiten el consumo de productos lácteos bajos en grasa, mientras que otras advierten en su contra. Como ocurre con cualquier dieta, descubrir lo más conveniente para ti es un proceso, así que experimenta con los principios de la alimentación sana y elige lo que te haga sentir mejor.

Elige frutas coloridas

La mayoría de los regímenes dietéticos recomiendan que consumas una buena cantidad de alimentos de origen vegetal, frutas frescas, verduras y todo tipo de granos. En parte, esto se debe a su alto contenido de fibra y nutrientes, también porque contienen fitoquímicos, sustancias que se encuentran en la naturaleza y que ayudan a fortalecer el sistema inmunológico, previniendo o combatiendo algunas enfermedades. Los vegetales y frutas de color rojo oscuro, azul y morado, como betabeles, moras y ciruelas, contienen fitoquímicos en abundancia. Sólo intenta comer un arco iris de alimentos; los colores vivos generalmente indican la presencia de fitoquímicos.

106 Amplía tus conocimientos culinarios

En la actualidad es muy fácil encontrar recetas e información nutricional en línea para todo, desde las anchoas hasta las calabacitas. También puedes reanimar la preparación de los alimentos convirtiéndola en un evento más social. Encuentra inspiración culinaria comprando en lugares nuevos o tomando una clase de cocina.

Explora tianguis, tiendas de comida tradicional o bodegas de alimentos naturistas. Descubrirás la gratificante muestra de magníficas frutas y verduras; nuevos y sugestivos tipos de carnes, aves y pescados; quesos recién hechos y panes acabados de hornear. A menudo, las tiendas especializadas como carnicerías, pescaderías y de lácteos ofrecen productos que no se encuentran en un supermercado típico. Mientras caminas entre los puestos y pasillos, date tiempo para hablar con los productores y propietarios, quienes generalmente están orgullosos de sus mercancías y estarán felices de aconsejarte sobre la selección y preparación de los alimentos.

Las clases de cocina pueden inspirarte a explorar nuevas maneras de cocinar. Además de las escuelas formales para chefs, muchas universidades, casas de cultura, tiendas de implementos para cocina, supermercados, restaurantes y vinaterías también suelen impartir talleres. En algunos lugares ofrecen demostraciones de cocina, mientras que otros se especializan en dar clases prácticas, de manera que puedes elegir el tipo de interacción que desees.

107
Relájate
con esencias

Para cuidarte tierna y amorosamente durante esos días del mes, prueba la aromaterapia. Modera los cambios en tu estado de ánimo perfumando tu habitación con un rociador que contenga diez gotas de aceite esencial de bergamota, lavanda o geranio y cuatro onzas de agua. Alivia la retención de fluidos agregando cinco gotas de aceite esencial de pachuli o romero a dos cucharaditas de aceite base y después date un masaje. Mitiga los calambres, agregando dos gotas de salvia o cinco gotas de aceite esencial de manzanilla en un tazón de agua fresca, luego moja una toalla y colócala sobre tu abdomen.

108 Mitiga el dolor menstrual con algunos ejercicios

Algunas mujeres pasan por sus periodos sin cambios en su estado de ánimo ni calambres. Otras no son tan afortunadas. Siéntete más cómoda, buscando un lugar privado y silencioso para probar este sencillo y efectivo tratamiento orientado a disminuir las molestias del ciclo menstrual en tus senos, espalda y vientre.

1 Si sientes dolor en la espalda baja, prueba girar las rodillas algunas veces. Acuéstate de espaldas y jala las rodillas hacia el pecho, manteniendo la espalda plana sobre el piso. Comienza a hacer círculos pequeños con las rodillas juntas, moviéndolas suavemente de derecha a izquierda por encima de tu abdomen, hasta completar diez círculos. Después repite, haciendo diez círculos en la dirección opuesta.

2 Otro buen ejercicio para la espalda es hacer reverencias: siéntate sobre los talones, y coloca los brazos sobre el piso cerca de tu cuerpo, con las palmas hacia arriba. Descansa tu cabeza en el piso y respira lenta y profundamente, llevando la exhalación hasta el interior de tu espalda baja. Repite durante cinco respiraciones o hasta que disminuya el dolor.

3 Para mitigar los calambres menores, siéntate en el piso y junta las plantas de los pies. Agárralos con las dos manos sin jalar los pies. Inhala y luego inclínate lentamente hacia delante mientras exhalas; hazlo sólo hasta donde te sientas cómoda para que logres un suave y agradable estiramiento de espalda y cintura. Mantén la posición de tres a cinco respiraciones.

109 Mitiga calambres sujetando la energía

Un ejercicio sencillo llamado "sujetar la energía" alivia los calambres menstruales. Para ejecutarlo, acuéstate de espaldas y luego frota las manos vigorosamente hasta que estén tibias. Ahora descánsalas sobre el abdomen, con la mano derecha debajo del ombligo y la mano izquierda sobre ella. Usando las manos, mece el torso suavemente de lado a lado durante unos 20 segundos. Quédate inmóvil durante 20 segundos, visualiza el calor de tus manos calmando cualquier dolor. Repite alternando mecimiento e inmovilidad.

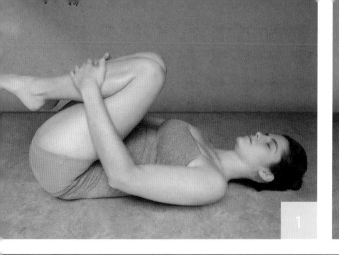

110 ¡Vamos, ponte feliz!

Según las investigaciones, las personas felices son más saludables y viven más tiempo. Pero, ¿qué nos hace felices? Las relaciones con la familia y los amigos están a la cabeza de la lista, que también incluye pensamientos positivos, trabajo significativo, gratitud y la habilidad para perdonar.

Para elevar tu cociente de felicidad, disfruta la presencia de los amigos y la familia, aceptando invitaciones sociales y dando pie a reuniones casuales. Invita a tus vecinos a comer helado, reúnete con un amigo a tomar café o da un paseo con un colega a la hora del almuerzo. Es más fácil y rápido enviar un correo electrónico o subir una nota en línea, pero pasar el tiempo con la gente que amas te hará más feliz. El contacto físico, como los abrazos, aumenta la sensación de felicidad porque se produce la hormona enlazadora oxitocina, así como las siempre agradables endorfinas.

A diferencia de las emociones, tu actitud es algo que puedes controlar y que afecta tu felicidad. Incluso si no tienes ganas de sonreír, actúa como si realmente quisieras hacerlo, y es probable que la sonrisa aparezca. Cuando las cosas se ponen difíciles, el pensamiento positivo es especialmente importante. En sus revolucionarias investigaciones, la psicóloga Barbara Fredrickson descubrió que las emociones positivas son el elemento más importante en la conformación de la resiliencia de una persona en tiempos difíciles. Las emociones positivas ayudan a nuestros cuerpos y mentes a lidiar con el estrés, los retos y los sentimientos negativos.

111 Ama lo que tienes en la vida

Según los especialistas, la gente casi siempre le da demasiada importancia al impacto que tendrá en su felicidad tener mayor o menor riqueza. De hecho, el deseo de tener más dinero y posesiones materiales a menudo provoca que disminuya la felicidad. El truco para ser más feliz consiste en ganar suficiente dinero para proveerse de lo esencial, estar contenta y agradecida con lo que tienes y evitar compararte con otros. Y si tienes que hacerlo, compara hacia abajo. Los deportistas que han ganado una medalla de bronce en las olimpiadas se consideran afortunados y son más felices que aquellos que obtuvieron una medalla de plata y sienten que pudieron haber ganado la de oro.

112

Convierte tu rutina en una aventura

La misma vieja rutina de salir a cenar e ir al cine hará que una relación romántica se vuelva aburrida. Para renovar el romance piensa en algo novedoso. Los investigadores afirman que disfrutar juntos de actividades nuevas y diferentes, especialmente las emocionantes, esas que producen adrenalina (¿alguien quiere subir a la montaña rusa?), intensificará sus lazos. Cambiar la rutina aunque sea sólo un poquito (probar un nuevo platillo o ver una película de un género que no acostumbran) fortalecerá su unión.

energízate

Con todas las cosas que quisiéramos hacer, además de las que debemos hacer, no es sorprendente que muchas de nosotras concluyamos el día con muy poca energía. De hecho, la fatiga crónica es una de las quejas más comunes que escuchan los médicos. A menudo los culpables de consumir toda la energía son algunos factores en nuestro estilo de vida, como dormir poco, el exceso de compromisos laborales y, sobre todo, el estrés.

Es claro que no puedes agregarle más horas al día, pero sí puedes reorganizar tus compromisos de trabajo, familiares y sociales, y aprender a decir "no" a todo aquello que no sea urgente o a lo que no te guste. Si tu infortunio es la falta de sueño, la solución es obvia: tienes que dormir más; pero en el mundo real, lograrlo puede ser difícil. Si te sientes estresada (la causa número uno de la fatiga crónica), los ejercicios, tratamientos y actividades de este capítulo están garantizados para manejar mejor el estrés y ponerle un poco más de vigor a tu desempeño diario. ✷

113 Fortalece tus hombros con la postura "del delfín"

La exigente postura "del delfín" nos recuerda el elegante arco del cuerpo de esa hermosa criatura marina; además, fortalece la parte superior del cuerpo y proporciona un estiramiento agradable para los músculos de la espalda que se encuentran a los lados de la columna vertebral. También fortalece el cuello, algo necesario para pararse de cabeza y realizar otras posturas difíciles.

1 Para ponerse en posición, arrodíllate y agarra tus brazos con cada mano. Luego, sin soltar los brazos, coloca los codos en el piso. Manteniendo los codos donde están, afloja las manos y entrelaza los dedos; baja tus antebrazos al piso. Asegúrate de que los codos estén un poco más juntos de lo que están los hombros. Ahora, presiona hacia abajo con los dos brazos al mismo tiempo, empujando el piso como si quisieras alejarlo de tu pecho, levanta las caderas, como en la foto. Estira tu columna vertebral y deja que la cabeza cuelgue. Manteniendo recta la espalda, inhala y extiende la cabeza más allá de las manos adelantando el mentón.

2 Exhala y desplaza el pecho hacia los pies para que la cabeza quede dentro de los brazos. Relaja el cuello. Muévete hacia delante y hacia atrás en las posiciones que realizaste las veces que quieras mientras te sientas cómoda.

114 Desarrolla tu flexibilidad

Si estás fuerte y en buena forma aeróbica, resulta tentador pensar que estás en buena condición física. Pero también debes trabajar en tu elasticidad, la tercera etapa de cualquier programa de acondicionamiento físico. Los músculos cortos o los que están tiesos son más propensos a lastimarse, así como las articulaciones cercanas a esos músculos. Por otro lado, los músculos y las articulaciones alargadas y con un buen rango de movimiento (lo que puede lograrse realizando estiramientos) son más resistentes a las lesiones y se desempeñan mejor tanto en deportes competitivos como en las actividades diarias.

115

Dale tiempo a tus estiramientos

Para aprovechar al máximo los estiramientos fijos, dale a tus músculos el tiempo necesario para que funcionen de manera óptima:

■ Calienta los músculos realizando actividades aeróbicas de cinco a diez minutos, puede ser incluso una sencilla pero vigorosa caminata.

■ Realiza estiramientos suaves hasta el punto de tensión, nunca de dolor, y mantén la posición de 30 segundos a dos minutos. ¡Con frecuencia sentirás que es mucho tiempo!

■ Respira profundamente y, cuando exhales, intenta relajar la tensión muscular. Procura que tus exhalaciones sean más largas que tus inhalaciones.

■ No rebotes. Busca el estiramiento suave, sostenido, respirando al pasar por las áreas más resistentes hasta que se relajen naturalmente. Nunca fuerces un estiramiento.

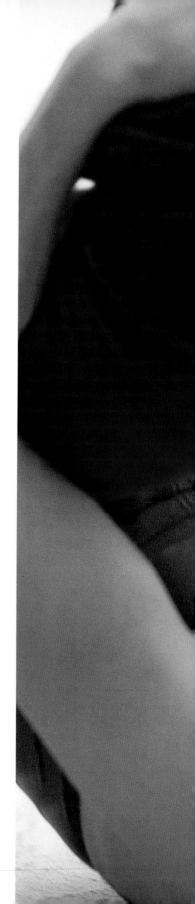

116 Siente el poder de los pilates

Puedes tomar café latte y comer cuernitos de chocolate para obtener una oleada de energía matutina. Pero el estímulo que obtienes de la cafeína y el azúcar primero puede ponerte nerviosa y luego dejarte cansada. Mejor empieza tu día con un desayuno saludable y algo de ejercicio. Ejercitarte puede contrarrestar la fatiga e iluminar la perspectiva de tu día. Comenzar el día con una corta rutina de pilates (ve las páginas siguientes) despejará tu mente y destensará tu cuerpo.

Los ejercicios de pilates se basan en el trabajo original de Joseph Pilates, un alemán que creía profundamente en la importancia del acondicionamiento mental y físico. El sistema de ejercicios pausados y concentrados que desarrolló está diseñado para elongar el cuerpo, aumentar la flexibilidad, fortalecer los músculos y concentrar la mente.

Con el tiempo, practicar pilates te ayudará a desarrollar y conservar más energía. Los músculos fuertes que se mueven con libertad (sin limitaciones de dolor o dureza) se sienten naturalmente con más energía, y una mente tranquila (libre de las sacudidas del estrés) se siente naturalmente mucho más clara.

117 Equilibra los músculos del dorso y el abdomen

Los músculos dorsales estabilizan tu columna vertebral, lo que te permite pararte erguida, inclinarte y enderezarte. Soportan tu pecho y proporcionan fuerza extra a tus brazos. Estos músculos trabajan junto a los músculos abdominales para ayudarte a respirar y proteger los órganos internos. Para mantener un equilibrio entre los dos grupos de músculos, practica juntas las posturas y ejercicios para fortalecer la espalda y el abdomen.

118 Prueba ejercicios básicos de pilates

Fortalece y afloja el cuerpo con esta rutina de pilates. Hacerla por la mañana te ayudará a darte concentración, flexibilidad y a estar lista para arrancar el día con dinamismo.

1 Para comenzar, acuéstate boca arriba sobre un tapete u otra superficie acojinada; puedes utilizar como almohada una toalla doblada para reposar la cabeza. Mantén las piernas separadas al ancho de la cadera, los brazos estirados por encima de la cabeza y los dedos muy abiertos. Empuja con las puntas de los pies para alargar la columna vertebral, pero no arquees la espalda.

2 Dobla las rodillas, posicionando los muslos perpendiculares al piso mientras dejas colgar la parte inferior de las piernas. Coloca las manos sobre las rodillas. Mantén un poco de espacio entre el piso y la espalda baja.

3 Presionando las palmas suavemente sobre tus rodillas, separa las piernas haciendo movimientos circulares, alejándolas del torso, y luego vuelve a unirlas. Mientras mueves las piernas, trata de mantener firme la pelvis. Haz círculos ocho veces y luego ocho veces más en la dirección contraria.

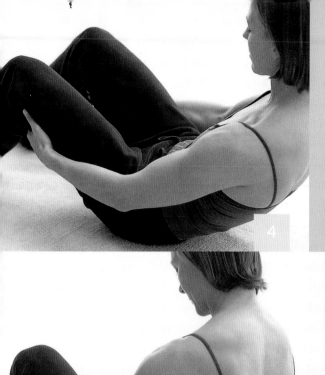

Arranca el día con esta rutina corta de pilates diseñada para hacerte sentir concentrada, flexible y lista para lo que venga. Continúa con un desayuno saludable que incluya granos enteros, proteínas, lácteos bajos en grasa, frutas y verduras: una combinación que reúna carbohidratos complejos, fibra y proteína, te proporcionará energía durante horas.

4 Con las piernas dobladas y las manos detrás de los muslos, levanta y curva la espalda lentamente, usando los músculos abdominales. Baja la espalda lentamente, hasta el piso, redondeándola y presionando la parte posterior de la caja torácica contra el piso. Levanta y curva la espalda nuevamente. Repite este ejercicio ocho veces.

5 Curva la espalda y siéntate con los pies sobre o por encima del piso (usa la posición que te sea más fácil). Si los pies quedan por encima del piso, equilíbrate sobre los glúteos.

6 Contrae tus abdominales, arquea la espalda baja, abre las rodillas y agarra el frente de las espinillas con las manos. Mantén los codos separados y el mentón un poco metido. Manteniéndote redondeada como una pelota pequeña, balancéate sobre la espalda hacia delante y hacia atrás. Evita balancearte sobre el cuello. Concéntrate en inhalar cuando te meces hacia atrás y en exhalar cuando lo haces hacia delante. Repítelo ocho veces.

119 Revitalízate con un masaje vigorizante

No todos los masajes son para tranquilizar. Los enérgicos movimientos de este masaje son perfectos para revitalizarte antes de una rutina de ejercicio o un pesado día de trabajo. Pide a una amiga que te dé este vigorizante masaje, ideal para cuando estás muy estresada. Comienza acostándote boca abajo en una superficie firme y cómoda; a continuación, pídele a tu amiga que siga estos cuatro pasos:

1 Calienta algo de aceite para masaje (ve la receta a la izquierda) entre las manos y extiende una capa delgada y uniforme sobre la espalda y los costados de tu amiga. Comenzando en la cintura, presiona con las manos ascendiendo por cada lado de su columna, deslizándolas hasta arriba. Desplaza las manos hacia sus hombros, baja los dedos a lo largo de sus costillas y costados, y luego regrésalas a su cintura. Mantén las manos y dedos relajados y moldeados en la forma de los contornos de su cuerpo. Aplica más presión cuando masajeas hacia arriba y menos cuando lo hagas hacia abajo. Masajea durante varios minutos.

2 Con tu amiga boca arriba o boca abajo, distribuye aceite de masaje uniformemente en una pierna. Realizando movimientos deslizantes, rodea su pierna todo que puedas. Empieza con el ángulo de la mano (la piel entre los dedos pulgar e índice). Comienza en el tobillo y pasa sobre la pantorrilla y el muslo con una presión firme (reduce la presión en la rodilla); desliza de regreso hacia su tobillo reduciendo la presión. Masajea lentamente, y después hazlo más rápido durante dos minutos. Repite el masaje en la otra pierna.

3 Levanta una de sus manos y desliza con firmeza la otra mano desde su muñeca hasta su codo y la articulación del brazo; desliza suavemente volviendo hasta la muñeca. Masajea con el ángulo de tu mano encorvada en forma de copa. Establece un ritmo ágil durante un minuto aproximadamente. Repite este masaje con el otro brazo.

4 Soba su espalda. Trabaja los músculos más pequeños con el pulgar y las yemas de los dedos, con un movimiento suave, como el de la almohadilla de la pata de un gato que se abre y cierra cuando está contento. Empuja y jala los músculos más grandes con movimientos más amplios y profundos, como si estuvieras amasando. Prosigue durante varios minutos.

Mezcla energizante para dar masaje

2 onzas de aceite base
16 gotas de aceite esencial de geranio
7 gotas de aceite esencial de romero
2 gotas de aceite esencial de hierbabuena

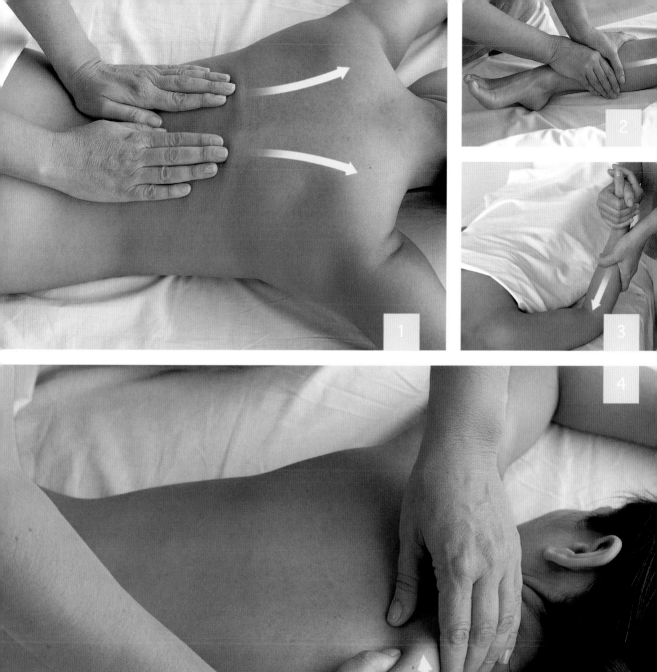
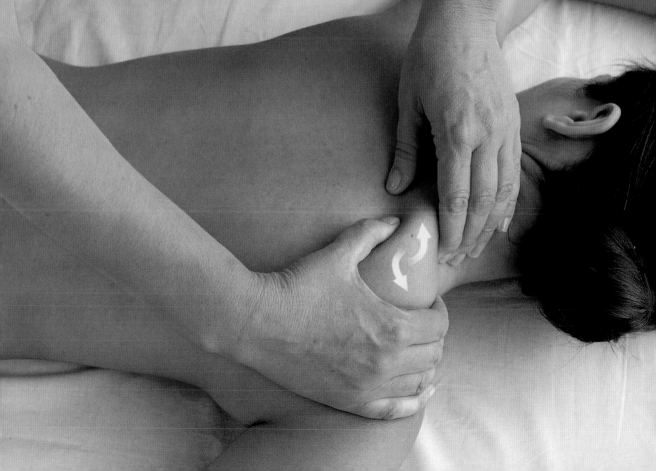

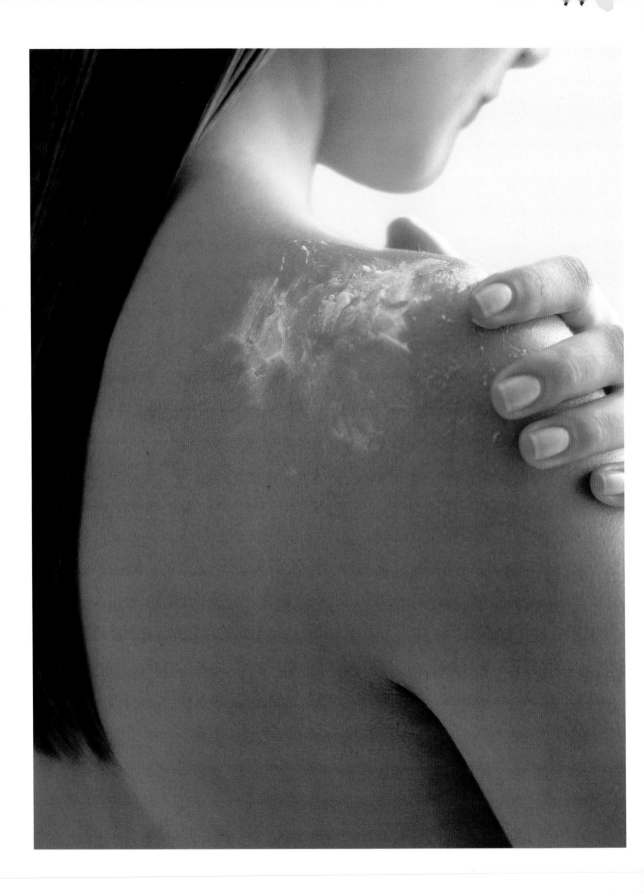

120 Huméctate con una loción estimulante de eucalipto

Después de la ducha, tómate tiempo para realizar un paso que representará una gran diferencia durante el resto de tu día: humectarte de la cabeza a los pies usando un producto con un aroma refrescante, como el eucalipto.

Date una ducha caliente, breve, y sécate superficialmente, dejando la piel ligeramente húmeda. Esto atrapará algo de la humedad en la piel cuando apliques la loción corporal. Comenzando por los hombros, y trabajando hacia abajo, aplica una generosa cantidad de humectante, frótalo bien para que penetre; aplica un poquito más en las zonas donde tengas la piel reseca.

El aroma que elijas tendrá un efecto notable en tu estado de ánimo, y si lo que deseas es energía, nada mejor que el eucalipto (foto a la derecha). Su aroma tonificante despierta la mente; sus componentes químicos actúan a la vez como desodorante y estimulante para el cuerpo. Si ese aroma no te llama la atención, prueba otros aceites esenciales energizantes como romero, ciprés, laurel, albahaca, limón o naranja.

Loción corporal tonificante

2 onzas de loción sin aroma
10 gotas de aceite esencial
   de eucalipto
7 gotas de aceite esencial
   de romero
5 gotas de aceite esencial de pino
3 gotas de aceite esencial
   de hierba de limón

Puedes utilizar un producto que esté a la venta o simplemente agregarle unas gotas de aceite esencial de eucalipto o de una mezcla de aceites (ve la receta a la derecha) a un humectante sin aroma. No te limites a las lociones, hay muchos tipos de humectantes. Si tu piel es muy seca, un aceite perfumado, una crema sólida o un humectante la dejarán suave y bien hidratada. Si tu piel es normal, te servirá muy bien una crema o una loción rica en emolientes. Si tu piel es grasosa o propensa a los barros, de preferencia usa una loción corporal más ligera, que sea no comedogénica, es decir, que no tapone los poros.

Como existen cientos de posibilidades, quizá necesites experimentar para encontrar la que resulte adecuada para ti en cuanto a aroma y sensación. Aprovecha las muestras que ofrecen en los almacenes; toma en cuenta que los productos que parecen demasiado grasosos, pegajosos o espesos en el frasco o el tubo quizá se derritan maravillosamente hacia el interior de tu piel una vez que los apliques. Fíjate también en aquellos que tengan mayor duración; algunos mantendrán hidratada una piel sedienta mucho más tiempo que otros.

121 Entender los puntos reflexológicos de la mano

Según los reflexoterapeutas, el cuerpo humano tiene zonas de energía que se recomienda activar para incrementar la sensación de bienestar. La reflexología requiere que se presionen con firmeza puntos específicos de las manos y los pies para ejercer influencia sobre otras partes, órganos, glándulas y sistemas del cuerpo. La teoría de este funcionamiento dice que estos puntos de terapia bien localizados están ligados a partes específicas del cuerpo, a menudo alejadas, mediante caminos neurológicos y de energía. Se cree que presionar sobre cierto punto despeja cualquier bloqueo de energía y que también aporta un efecto estimulante o relajante. Para guiarte hacia los puntos energéticos de tus manos, lo único que necesitas es un mapa de reflexología (ve la ilustración a la izquierda).

1 Para despertar los órganos internos por la mañana, estimula tus puntos reflexológicos presionando profundamente uno de los pulgares sobre la palma de la otra mano. Mueve el pulgar en círculos pequeños, de la base de la palma hacia la base de cada dedo. Otro método consiste en posicionar el pulgar en el centro de la palma y mecer la palma contra la punta del pulgar; después, mece la palma separándola del pulgar, coloca el pulgar en una nueva posición, y repite la secuencia. Asegúrate de cubrir toda la superficie de la palma. La presión firme y directa ayuda a reducir el dolor, mientras que presionar y aflojar ("presión alternante") contribuye a estimular el punto. Cuando identifiques una parte del cuerpo que requiera atención particular, trabaja sobre su correspondiente punto de reflexología durante 30 segundos por lo menos.

2 Para estimular la energía en las zonas de reflexología de los senos nasales, cabeza, cerebro, cuello y garganta, presiona y recorre con círculos la punta de cada dedo y el largo del pulgar. Trabaja ambas manos.

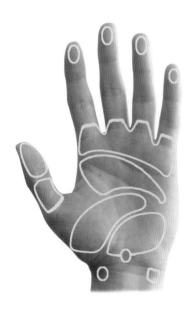

Puntos de reflexología de la mano izquierda

Aquí tienes algunos de los puntos clave de reflexología sobre la palma de la mano izquierda:

1 Senos nasales, cabeza y cerebro
2 Cuello y garganta
3 Ojo y oreja
4 Pulmón, pecho, espalda y corazón
5 Estómago y páncreas
6 Intestinos
7 Vejiga
8 Útero
9 Ovario

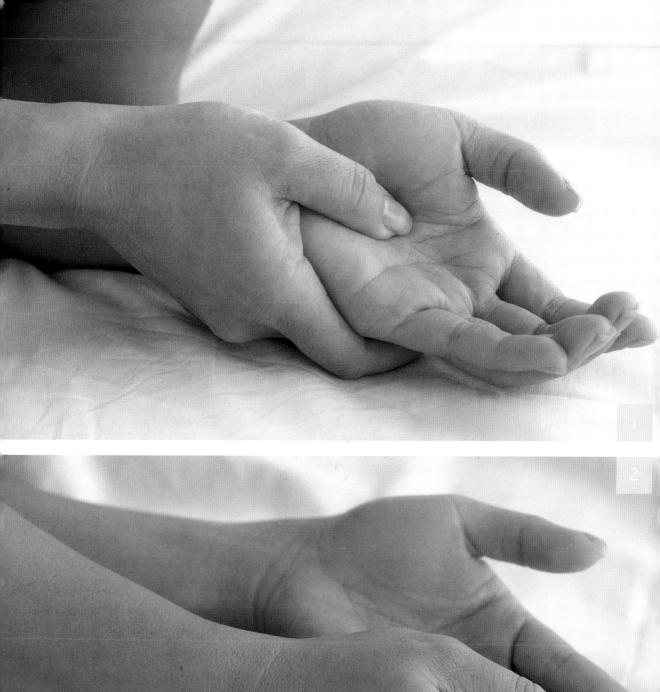

122 Arquea la espalda con la postura "de la cobra"

Las posturas de yoga que requieren del arqueamiento de la espalda hacia atrás ayudan a desarrollar la fuerza, ejercen presión suave sobre las glándulas suprarrenales y te permiten respirar más profundamente, lo que aporta una sensación de vigor. Acuéstate bocabajo, con los pies separados al ancho de la cadera, y extiende los dedos de los pies. Descansa la frente sobre el piso y coloca las palmas planas, también sobre el piso, directamente debajo de los hombros, llevando los codos hacia las costillas. Inhala y extiende el mentón hacia delante conforme levantas la cabeza, el cuello y el pecho lo más alto que puedas, pero cómodamente, sin presionar las palmas. Mantén abajo los omóplatos. Conserva la postura de cuatro a diez respiraciones, después afloja.

123 Cárgate de energía matutina con el ayurveda

Para sentirte más cargada de energía por la mañana, los yoguis ayurveda recomiendan una variedad de prácticas que van mucho más allá de comenzar el día con una rutina de yoga. Involucran todo lo que realizas por la mañana: desde la hora en que te levantas hasta lo que comes en el desayuno. Ayurveda, la medicina tradicional de la India, es un sistema de cuidado de salud holístico que data de varios siglos atrás. En sánscrito, *ayur* significa 'vida', y *veda*, 'conocimiento'. El sistema enseña cómo equilibrar las energías de vida para alcanzar armonía con el medio ambiente y regresar a un estado natural de salud y felicidad.

Para abrir los ojos con ayurveda:

- Levántate por lo menos 20 minutos antes de que salga el sol.

- Echa agua fresca sobre tu cara siete veces.

- Bebe un vaso de agua tibia aderezado con una rebanada de limón o lima.

- Usa un limpiador de lengua, desplazándolo de la parte posterior de la lengua hasta el frente.

- Golpetea tus dientes entre sí para estimular los nadis (canales a través de los cuales fluye energía).

124 Reta al cuerpo con la postura "del arco"

Para arquear la espalda hacia atrás, la postura "del arco" es la más exigente. Acuéstate bocabajo sobre el piso, dobla las rodillas y lleva los talones hacia la cadera; pasa las manos hacia atrás para agarrar los pies o tobillos, lo que te sea más cómodo. Deja que las piernas se separen, pero mantén los talones por encima de los glúteos. Inhala y levanta la cabeza, el cuello, el pecho y los muslos, mientras presionas los pies contra las manos y elevas los talones por encima de la espalda. No te fuerces: la calidad del esfuerzo es más importante que la distancia a la que eleves las piernas o el pecho. Mantén la postura de cuatro a seis respiraciones. Mientras exhalas, lentamente vuelve a acomodarte sobre el piso.

125 Mejora tu atención con una friega de limón fresco

El limón –con su fragancia fresca y tonificante– es uno de los aceites esenciales más benéficos para estimular la mente e incrementar la atención. Comienza el día con este tratamiento refrescante o simplemente pruébalo como ejercicio de reanimación antes de salir a una velada en la ciudad.

Agrega aceite esencial de limón y rebanadas de limón fresco en un tazón pequeño con agua tibia (lee la receta a la derecha). Remoja en el tazón una toallita limpia, dejando que el aceite de limón penetre. Después de un par de minutos, pasa la toallita por encima de las gotitas de aceite que floten sobre la superficie del agua y exprímela.

En el baño, coloca la toallita donde puedas alcanzarla, abre las llaves del agua y mézclala hasta que esté tibia (si la dejas muy caliente, te hará sentir desganada, no vigorizada). Lava delicadamente tu cuerpo con un jabón perfumado a base de cítricos (si es posible) y enjuágate a conciencia. Después de cerrar las llaves, toma la toallita y dóblala formando un cuadrado compacto y comienza a refregar tu cuerpo con ella. Comienza por los pies y avanza hacia arriba, frotando siempre hacia el corazón, esto estimula el sistema circulatorio. Sécate con una toalla y conserva esa sensación de frescura aplicando un humectante corporal con aroma de cítricos.

Para friegas con limón fresco

5 gotas de aceite esencial de limón
6 o más rebanadas de limón fresco
Tazón pequeño con agua tibia
Toallita
Jabón perfumado de cítricos
    (opcional)
Humectante corporal con aroma
    cítrico

126 Aprovecha los beneficios del limón para el cuidado de la piel

Los limones contienen cantidades generosas de vitamina C, que es un antioxidante poderoso, y también dosis saludables de ácido cítrico y vitaminas A y B1. Estos componentes contribuyen en la exfoliación de piel muerta, estimulan la circulación, equilibran las glándulas sebáceas hiperactivas y ayudan a abrillantar la piel. Si no tienes otra opción, diluye jugo de limón en agua para hacer un tonificante efectivo.

127 Acumula energía con el tai chi

Los practicantes de tai chi creen que es posible incrementar la cantidad de chi (energía vital de la vida) en el cuerpo captándola del aire y del universo.

Se cree que el chi proviene de una variedad de fuentes: de nuestros padres heredamos un tipo de chi llamado *jing*; otro chi proviene de los alimentos que consumimos (la comida sana contiene más chi que la comida insalubre); el chi también proviene del aire (mientras menos contaminado esté, será mejor), y por último, parte de nuestro chi se deriva del universo mismo. Para hacer acopio de chi:

1 Párate erguida, pero relajada: el cóccix contraído, las rodillas levemente dobladas, el mentón un poco hacia abajo, los pies separados al ancho de los hombros y los brazos colgando, todo con naturalidad.

2 Mientras te vas acuclillando lentamente, abre los brazos para formar un círculo grande, como si estuvieras a punto de recoger una pelota de playa. Asegúrate de que los codos, muñecas y rodillas estén relajados; los brazos arqueados y abiertos, y que las manos no lleguen a tocarse entre sí mientras "recoges la pelota".

3 Vuelve a pararte erguida y, conforme te levantas, acerca los brazos hacia el abdomen, como si trataras de exprimir el aire de una pelota.

4 Ahora, mira hacia arriba y eleva los brazos, manteniéndolos ligeramente doblados, como si fueras a agarrar otra pelota. Luego, baja los brazos hacia la cintura, como si intentaras desinflar una pelota. Deja caer las manos a los lados y repite estos pasos de tres a cinco minutos.

128 Descubre los siete chacras

En el tai chi, el yoga y la medicina oriental se cree que el *prana* (fuerza vital) del cuerpo fluye por canales de energía que intersecan con chacras (o ruedas) asociados con estados mentales claramente definidos. El objetivo es mantener los chacras abiertos para proveer equilibrio físico, emocional, mental y espiritual.

CHACRA	UBICACIÓN	ASOCIADO CON
Primero	Base de la columna	Seguridad, bienestar
Segundo	Justo abajo del ombligo	Sensualidad, fertilidad
Tercero	Plexo solar	Poder personal, sentido de identidad
Cuarto	Corazón	Amor, generosidad
Quinto	Garganta	Creatividad, comunicación
Sexto	Entre las cejas	Intuición, concienciación
Séptimo	Punta de la cabeza	Espiritualidad

129

Desplázate con energía

Practica tai chi con tranquilidad. Aunque ejecutes los movimientos suaves y fluidos con enorme lentitud, pondrán tu corazón a bombear, activarán tu mente y harán trabajar todo tu cuerpo. También, como forma de meditación en movimiento, el tai chi es muy útil para aliviar el estrés (el más potente destructor de energía que se conoce).

130 Haz fluir la energía con la secuencia de apertura del tai chi

La secuencia de apertura del tai chi fomenta el flujo del chi a través del cuerpo. Mantén el cuerpo y las articulaciones relajados y la mente concentrada. Aunque generalmente se realiza al inicio de una sesión de tai chi, también puede practicarse de manera independiente por su efecto estimulante.

1 Con los ojos cerrados, la espalda recta y los pies juntos, empieza a despejar la mente de pensamientos y preocupaciones. Concéntrate en reunir energía en el cuerpo. Respira profunda y naturalmente. Dedícale un minuto o dos para tranquilizar tu mente y concentrarte en despertar tu energía latente.

2 Abre los ojos y da un paso a un costado, de manera que los pies queden separados tanto como el ancho de los hombros; deja que los brazos cuelguen a los costados. Imagina tu peso asentándote hacia abajo en la tierra.

3 Dirigiendo la acción con las muñecas, eleva los brazos, dejándolos flotar, hasta la altura de los hombros, con los codos y las muñecas ligeramente doblados, las palmas hacia dentro y los dedos apuntando al suelo. A lo largo de la secuencia, mantén los hombros y las piernas relajados. Retrae la pelvis (que no sobresalga la espalda), y mantén el mentón ligeramente abajo.

4 Ponte ligeramente en cuclillas, con los dedos de los pies apuntando al frente y las rodillas alineadas con ellos. Cuando comiences a acuclillarte, inicia el movimiento con las muñecas y deja que los codos bajen y que los antebrazos se eleven, flotando, con los dedos apuntando hacia arriba y las palmas hacia fuera.

5 Conforme te yergas, deja que los codos fluyan hacia arriba y que las manos caigan hacia abajo. Repite los movimientos ascendentes y descendentes ocho veces. Piensa en mantenerte en buena forma mental y física mientras fluyes hacia arriba y hacia abajo.

1

2

3

4

131 A jugar al aire libre

Quizá la caminadora se ha convertido ya en algo aburrido, ya dominaste la rutina de barra o estás hastiada del *podcast* con la rutina para endurecer tus glúteos. Nada revitaliza más el ejercicio cotidiano que salir al aire libre a realizar una vigorosa rutina.

Las opciones son numerosas y experimentando encontrarás la apropiada para ti. Quizá te agrade caminar en un parque, nadar en un club o unirte a un grupo de corredores; o tal vez sea momento de quitarle el polvo a tu bici, patines o patineta (recuerda usar casco siempre). Lleva tu rutina de tai chi a un parque, inscríbete en esas clases de remo de las que siempre has hablado o sólo pasea por el vecindario.

Aprovecha al máximo las estaciones del año: juega voleibol de playa o esquía sobre nieve. No permitas que el clima frío sea pretexto para permanecer encerrada; de hecho, quemas cerca de cinco por ciento más de calorías cuando haces ejercicio en el frío porque tu cuerpo tiene que trabajar más intensamente para mantener su temperatura central (sin importar la temperatura, asegúrate de estar siempre hidratada). No importa qué tipo de actividad al exterior elijas: el aire fresco y un paisaje nuevo refrescarán tu actitud.

1

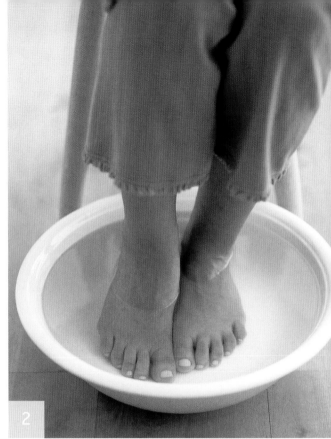

2

3

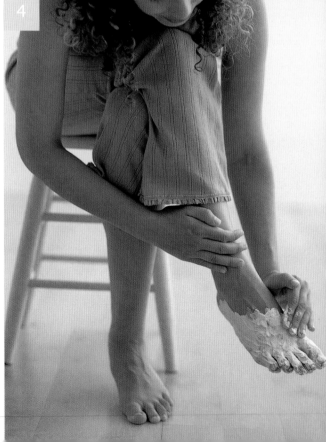

4

132 Un baño de pies con la frescura de la menta

Uno de los aceites aromáticos más versátiles y refrescantes es el de menta. Este tratamiento vigorizante con aceite de menta le pondrá chispa y tono a tu caminar.

1 En una tina donde quepan tus pies, vierte agua tibia hasta justo debajo de tus tobillos. Agrégale una cucharada rebosante de sales minerales con aceite de menta.

2 Remoja tus pies durante al menos diez minutos para suavizarlos y refrescarlos. Además de ser relajante, este baño de pies hará que la exfoliación (paso siguiente) sea más fácil y efectiva.

3 Después de secar tus pies a conciencia, talla con una piedra pómez cualquier zona áspera en los talones: frota la piedra con firmeza de un extremo a otro, desde la parte posterior del talón hasta la punta de la planta del pie. Continúa hasta que sientas la piel más lisa. Repite los pasos en el otro pie.

4 Si tienes un poco más de tiempo, aplícate una mascarilla hidratante y energizante para pies. Unta una capa gruesa de la mascarilla sobre el empeine, las plantas y entre los dedos; aplícala con suavidad, no la frotes. Déjala reposar 15 minutos y después retírala con una toalla mojada o enjuagándote en la tina.

133 Conoce tus productos de baño

¿Te sientes confundida por tantas presentaciones de productos para el baño? Aquí tienes descripciones breves de cada una. Las **sales de baño** están hechas de sal de mar y aceites esenciales y otras fragancias, ayudan a suavizar la piel y eliminan toxinas. Las **espumas de baño** producen burbujas, liberan aromas agradables y pueden sustituir el jabón. Los **aceites de baño** –que generalmente contienen aceites esenciales y otras fragancias mezcladas en aceite base ligero– humectan la piel. Los **geles de baño** son un tipo de jabón líquido con consistencia gelatinosa. Los **tés de baño** son bolsas de té llenas de hierbas secas que aportan una variedad de efectos terapéuticos cuando se les deja remojando en el agua de la tina. Experimenta y elige aquellas que más te agraden.

134

Siente el poder de la hierbabuena

Consume té de hierbabuena para descongestionar el estómago o inhala su aroma para despertarte. A esta popular planta medicinal también se le atribuye aliviar jaquecas, descongestionar las vías respiratorias y estimular la mente. El componente activo de la hierbabuena es el mentol, que cuando se aplica en alguna zona de la piel produce rápidamente una sensación de frescura y el cuerpo reacciona incrementando el flujo de sangre en esa área, lo que crea una reconfortante sensación de calidez.

135 Tensión y tono para abdominales fuertes

Si tus músculos abdominales se sienten fofos, prueba esta serie de posturas que los fortalecerán y te permitirán aumentar gradualmente la intensidad de tu rutina de ejercicios para ganar tono muscular.

A lo largo de estas posturas, usa la postura básica "del diamante" (foto izquierda) para brindarle apoyo a tu espalda. Sentada, coloca las manos contra tu espalda baja, con las palmas hacia fuera y las puntas de los pulgares y dedos índices tocándose (recuerda asentar con firmeza la parte inferior de tu espalda). Si al hacer los ejercicios tu espalda se alza, es señal de que estás forzándola: detente y descansa.

1 Acuéstate de espaldas y coloca el pie izquierdo en el piso, dobla esa rodilla de manera que apunte hacia arriba. Con la pierna derecha estirada y ese pie flexionado, inhala mientras los levantas hasta donde te resulte cómodo (no más de 90 grados). Conforme exhalas, baja la pierna manteniendo flexionado el pie. Haz esto seis veces y después realiza los pasos con la otra pierna.

2 Para darle un poco más de intensidad a este levantamiento, mantén recta la pierna que reposa sobre el piso mientras trabajas la que sube. Alterna las piernas, levantando cada una seis veces. Recuerda que el incremento de intensidad debe ser gradual: si sientes cualquier tensión, regresa a la posición básica.

3 Cuando te sientas lista, intensifica la rutina manteniendo la pierna en reposo elevada, apuntando hacia el techo, mientras levantas y bajas la otra pierna. Trabaja con cada pierna seis veces.

Fortalece tus abdominales para mantener la espalda sana

El deseo de tener abdominales de lavadero quizá te motive a trabajar esos músculos, pero tener abdominales fuertes también ayuda a prevenir dolores en la espalda baja, un malestar que afecta a cuatro de cada cinco personas en alguna etapa de sus vidas.

136

Optimiza tu rutina de ejercicio con pesas

Una clave para obtener máximos resultados con tu rutina de ejercicios es agregar unas pesas ligeras. Para asegurarte de no forzar los músculos de las muñecas y brazos, empieza con unas pesas que se sientan bien en tus manos, ergonómicamente hablando; al principio deberán parecerte ligeras, pero también deben exigirte mayor esfuerzo, según ejecutes cierto número de repeticiones. Conforme adquieres fuerza, cambia a unas más pesadas (por ejemplo, de tres libras a cinco y después a ocho). Las últimas tres repeticiones siempre deberán presentar más esfuerzo, pero no deben ser tan difíciles que no logres mantener una buena postura.

137 Ejercicios básicos para fortalecer los brazos

Los músculos de los brazos son unos de los más "cooperativos" del cuerpo porque responden rápidamente al ejercicio. Simplemente ejecuta estos movimientos cada tercer día durante unas semanas y verás la diferencia.

1 Párate erguida, sosteniendo una pesa con la mano izquierda. Adelanta un paso la pierna derecha, dobla su rodilla y alinéala con el segundo dedo de ese pie. Descansa la mano derecha sobre el muslo, justo arriba de la rodilla doblada. Mantén la pierna izquierda cómodamente detrás de ti, con los dedos del pie hacia el frente y la rodilla ligeramente doblada. Contrae los músculos abdominales, como si jalaras el ombligo hacia la columna vertebral. Mantén rectos y alineados los hombros y la cadera, orienta la pelvis en ángulo, ligeramente hacia arriba, y mantén el cuello recto mientras miras hacia el piso. Levanta el brazo ejerciendo la fuerza con la parte superior (bíceps) mientras lo mantienes alineado con el torso, doblando el codo cerca de 90 grados.

2 Manteniendo el torso y las piernas lo más inmóviles posible, mientras exhalas, endereza los brazos, haciendo pivote desde el codo. Mantén recta la muñeca y el bíceps alineado con el torso. Dobla el codo para regresar a la posición inicial. Repite 15 veces. Para establecer el ritmo correcto, levanta el brazo durante dos tiempos, espera durante uno y bájalo lentamente durante cuatro. Después, sosteniendo la pesa con la mano derecha, y doblando la pierna izquierda hacia delante, repite el ejercicio 15 veces.

3 Ahora, sosteniendo una pesa con cada mano, párate recta con las piernas abiertas, tanto como el ancho de la cadera, y los brazos descansando a los costados; los dedos de los pies deben estar apuntando hacia el frente, los hombros relajados y hacia atrás y las rodillas ligeramente dobladas. Contrae el abdomen y mira al frente.

4 Mientras exhalas, levanta ambos brazos con los pulgares hacia arriba, en un ángulo de 30 grados, hasta que las manos lleguen al nivel de los ojos. Mantén los omóplatos hacia abajo y las clavículas rectas; no dejes que la espalda se arquee. Mantente así durante un momento y después, al inhalar, regresa los brazos lentamente a la posición inicial. Repite este paso 10 veces.

1 2

3 4

138 Estiramientos que no dañan las muñecas

Protege tus manos y muñecas con un ejercicio que puedes hacer dondequiera para ayudar a prevenir problemas en tus articulaciones. Estirar los músculos de muñecas y manos los hace más resistentes a lesiones.

1 Siéntate en una silla y extiende el brazo derecho con la palma hacia afuera y los dedos apuntando hacia arriba, o descansa el codo sobre una mesa, un escritorio o el brazo de una silla.

2 Coloca los dedos de la mano izquierda sobre los dedos de la mano derecha en forma horizontal (ve la foto a la izquierda) y empuja la muñeca derecha hacia fuera mientras jalas suavemente hacia ti con la mano izquierda, hasta llegar justo al punto de resistencia. Respira hondo. (Nota: Si no tienes el codo derecho sobre una superficie dura, asegúrate de mantenerlo ligeramente doblado.)

3 Sostén la posición durante 30 segundos. Concéntrate en aflojar al exhalar.

4 Realiza los movimientos con la otra mano. Estira sólo hasta donde te sientas cómoda; deberás sentir un poco de estiramiento, pero no empujes demasiado fuerte y detente a la menor señal de dolor.

139 Baños que eliminan la tensión en las muñecas

Si padeces una lesión en tus muñecas, mitiga la molestia sumergiéndolas en agua con hamamelis por 10 minutos.

1 Llena un tazón grande con agua caliente y agrega media taza de hamamelis. Sumerge las manos y las muñecas; durante los primeros cinco minutos mantenlas inmóviles en cualquier posición que te resulte cómoda.

2 Durante el siguiente par de minutos, mantenlas sumergidas mientras alternas entre hacer puños y extender los dedos ampliamente.

3 Concluye girando lentamente las muñecas, como si dibujaras una espiral en el sentido de las manecillas del reloj; después muévelas en la dirección contraria.

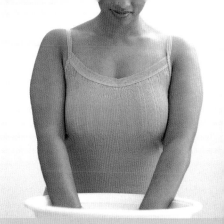

140 Sánate con hamamelis

El hamamelis tiene propiedades astringentes y antiinflamatorias. Utilízalo para aliviar músculos adoloridos, mitigar el escozor que producen los piquetes de insecto y aliviar las molestias de las hemorroides.

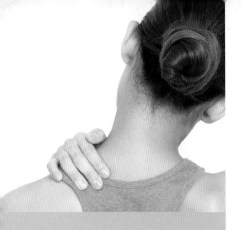

141

Relaja las fibras musculares

Las fibras musculares esqueléticas corren paralelas rozándose unas contra otras miles de veces al día, relajándose y contrayéndose con cada movimiento. El estrés, una dieta pobre, insuficiencia de líquidos, mala postura, fatiga y otros factores provocan que estas fibras se adhieran unas con otras causando dolor y entumecimiento en ciertos puntos. Fricciona circularmente los dedos, nudillos o codos sobre el grano de los músculos para comenzar a separar las fibras atoradas, liberándolas del pegamento químico que las une.

142 Relaja los músculos de los brazos con un masaje

Para calentar las manos antes de una rutina de ejercicio o calmar el dolor articular o muscular después de ejercitarte, prueba este masaje que combina compresión, fricción cruzada sobre las fibras y presión directa.

1 Coloca firmemente una mano sobre la parte posterior de la cabeza y hunde las puntas de los dedos en la parte anterior de la axila, posicionándolos debajo de los músculos del pecho; aprieta a la vez con el pulgar y los dedos. Trabaja el largo del músculo de arriba a abajo, apretando y friccionando perpendicularmente sobre las cuerdas de las fibras musculares. Repite tres veces (o hasta que sientas que se relajan los músculos); después, trabaja sobre el otro brazo.

2 Aumenta la circulación y libera la tensión de los bíceps ejerciendo presión. Descansa el codo sobre la rodilla o sobre una mesa. Con la palma contra el interior del bíceps, justo arriba del codo, y con los dedos envolviendo el brazo, aprieta con firmeza y después afloja. Bombea rítmicamente de esta manera conforme avanzas del codo al hombro. Hazlo tres veces; después repite las compresiones en el otro brazo.

3 Para aliviar la tensión del antebrazo, hunde los dedos en los músculos de su parte anterior y frótalos con firmeza, perpendicularmente, sintiendo cómo se mueven bajo la presión (esta es la fricción cruzada sobre las fibras). Trabájalos de tres a cinco segundos. Afloja el agarre y repite el movimiento conforme avanzas del codo a la muñeca. Cuando hayas recorrido todo el antebrazo, realiza el masaje en el otro brazo.

4 Si sientes adolorida cualquier área del brazo, alíviala presionando directamente. Respira hondo y, mientras exhalas, presiona suavemente con el pulgar sobre el punto adolorido. La presión debe ser firme, pero sin provocar malestar. Respira normalmente y mantén la presión de 10 a 30 segundos, después disminuye la presión gradualmente. Presiona, sostén, y afloja tres veces en cada punto adolorido.

1
2

3
4

143

No sólo confíes en los ejercicios localizados

¿Crees que eliminarás la grasa de los muslos o el abdomen sólo con ejercicios localizados? Piénsalo. Ejercitarse o levantar pesas fortalecerá y tonificará los músculos de esas áreas, pero las rutinas de ejercicio por sí solas no eliminarán la grasa subcutánea; para que esto suceda, debes perder peso.

144 Piernas de primera con ejercicios sencillos

Esta secuencia de ejercicios trabaja los glúteos, los músculos isquiotibiales, los cuadríceps y las pantorrillas, mientras mejoran el equilibrio y la fuerza, imprescindibles para esquiar y practicar otros deportes.

1 Párate derecha con las piernas un poco más separadas que el ancho de las caderas, con las manos a los costados. Retrae ligeramente el mentón y distribuye el peso corporal uniformemente entre las plantas de los pies y los talones; contrae el abdomen jalando el ombligo hacia la columna vertebral.

2 Inhalando, baja lentamente la cadera, apretando los glúteos, hasta que los muslos queden en semicuclillas. Levanta el pecho y extiende las manos hacia delante para equilibrarte. Posiciona los muslos lo más paralelos al piso, sin forzarte; las rodillas deben apuntar hacia el segundo dedo de cada pie.

3 Levántate empujando desde los tobillos conforme exhalas y bajas los brazos mientras asciendes. Una vez que estés erguida, levanta la pierna derecha y extiéndela en un ángulo de 10 grados hacia atrás mientras te equilibras sobre la pierna izquierda. Mantén la columna estirada y el abdomen contraído; aprieta el glúteo derecho. Después, regresa la pierna al piso y repite los pasos para quedar en semicuclillas; esta vez levanta hacia atrás la pierna izquierda. Alterna las piernas hasta que completes diez repeticiones para un total de 20 semicuclillas.

145 Vence el peso extra que dan los años

Las mujeres ganan peso al envejecer porque el metabolismo basal (MB) desciende conforme la masa muscular se va convirtiendo en grasa de manera natural. Como los músculos queman ocho veces más calorías que grasa, perder masa muscular reduce el MB. Para contrarrestar este proceso, crea (o mejora) una rutina de ejercicio aeróbico para quemar más calorías y una de ejercicios de fuerza para mantener elevada la relación músculo-grasa.

1

2

3

146 Fortalece tu "central de poder"

Las rutinas de pilates ayudan a tonificar los músculos porque se concentran en estirarlos y fortalecerlos en lugar de contraerlos de manera rápida y abrupta. Las secuencias de pilates de las páginas siguientes ayudan a desarrollar los músculos de abdomen, espalda y cadera, que es necesario fortalecer para desarrollar mejor equilibrio y flexibilidad; además, la sincronización de movimientos con brazos y piernas ayuda a mejorar la coordinación.

Cuando practiques pilates, concéntrate en la extensión y en la contracción de cada movimiento para evitar arquear la espalda y asegúrate de mantener el abdomen contraído mientras trabajas o cuando estés acostada sobre el estómago para prevenir la compresión excesiva sobre la espalda baja.

¿Por qué el énfasis en los músculos centrales? Los pilates se concentran en los músculos que yacen en lo profundo del centro del cuerpo (conocidos como "central de poder"), que incluyen los músculos del abdomen, la espalda, los muslos y los glúteos. Realinear, fortalecer y alargar estos músculos centrales mejora la postura, reduce el riesgo de lesiones, permite un rango más grande de movimiento y da flexibilidad.

147 Un enfoque lateral a la respiración

Como normalmente respiramos usando nuestro diafragma –que se expande cuando inhalamos– puede llevar algo de tiempo ajustarse a la técnica pilates de respiración lateral. Cuando realices pilates contrae los músculos abdominales: visualízalos sosteniendo el torso como un corsé; a la vez, inhala profundamente y trata de dilatar la caja torácica hacia los lados y hacia atrás, sigue contrayendo el abdomen conforme exhalas por completo. En la técnica pilates, a menudo inhalaciones y exhalaciones van coordinadas con movimientos específicos.

148 Enfócate en tus músculos centrales

Estos pilates fortalecerán tu abdomen, espalda y pelvis. Practica estos movimientos breves y concentrados a paso lento para fortalecer los músculos estabilizadores y mejorar la postura. Cuida de no exagerar las posiciones para evitar lesionarte.

1   Este ejercicio se llama "nadar". Acuéstate sobre el estómago, con los brazos extendidos hacia delante y las piernas abiertas al ancho de la cadera. Levanta la cabeza, pero mira hacia abajo; mantén estirados el cuello y la columna vertebral, el abdomen contraído y los pies estirados. Inhala y levanta un brazo y la pierna opuesta unos veinte centímetros. Estira los miembros levantados; luego exhala y bájalos. Inhala y levanta el brazo y pierna opuestos, estíralos y después bájalos. Alterna ambos lados durante dos o tres minutos.

2   Para un ejercicio más avanzado, levanta ambos brazos y piernas por encima del piso. Alterna mover brazos y piernas opuestos como si estuvieras nadando.

3   Conforme adquieras fuerza al hacer este ejercicio, acelera los movimientos de natación. Si te duele la espalda o estás esforzándote, alterna el movimiento de "nadar" manteniendo siempre dos extremidades en el piso.

Las clases que utilizan el equipo tradicional de la técnica pilates por lo general son privadas y caras. Por fortuna, muchos ejercicios están diseñados para realizarse sobre un tapete y puedes hacerlos en una clase menos costosa o en casa. Esta secuencia es especialmente buena para fortalecer y estirar la espalda.

4 Relaja la espalda con una postura como de oración. Siéntate sobre los talones, con las rodillas ligeramente separadas, el pecho relajado y cerca del piso y los brazos cómodamente estirados hacia delante. Mantén la postura durante unos 20 segundos, respirando profundamente, pero siempre de manera natural.

5 Acuéstate de lado. Apoya la cabeza sobre un brazo y coloca el otro delante de ti. Levanta unos centímetros la pierna que ha quedado arriba y muévela hacia delante con el pie flexionado. Mueve la pierna de regreso unos diez grados y estira los dedos del pie mientras mantienes el torso inmóvil. Hazlo ocho veces con cada pierna.

6 Ahora coloca la misma pierna ligeramente hacia delante y muévela hacia arriba y hacia abajo con los dedos del pie estirados. Repite los levantamientos de pierna ocho veces de cada lado.

1

2

3

4

149 Dale amor a tus piernas con un masaje deportivo

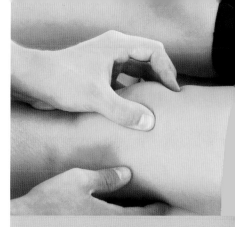

Al igual que estirar las piernas, estas técnicas fáciles de masaje te ayudarán a calentar los músculos e incluso a revertir algún daño que padezcan.

1 Relaja la tensión en los músculos isquiotibiales con una pequeña sacudida antes de hacer ejercicio. Siéntate sobre el piso o en una banca, dobla una rodilla ligeramente hacia arriba, toma los músculos de la parte inferior del muslo y sacúdelos de lado a lado; sacude el largo del muslo de arriba hacia abajo. Hazlo seis veces en cada pierna.

2 Comprime los cuádriceps. En la misma posición que en el ejercicio anterior, con ambas palmas presiona los músculos del muslo hacia el hueso en una acción de bombeo. Disminuye la presión y pasa a un punto nuevo; repite esta técnica de la rodilla a la cadera. Para mayor fuerza, mece el cuerpo hacia delante cuando presiones hacia dentro y hazte hacia atrás cuando aflojes. Trabaja ambas piernas de la rodilla a la cadera seis veces.

3 Rueda los músculos de la pantorrilla. Con las palmas presionadas contra la parte carnosa de la pantorrilla, empuja rápidamente con una mano mientras jalas hacia abajo con la otra, creando un movimiento de rodamiento, durante 30 segundos. Trabaja así ambas piernas.

4 Comenzando cerca de un tobillo, presiona con la palma directamente hacia el hueso y afloja. Bombea los músculos de la pantorrilla de manera rítmica, yendo hacia la rodilla. Repite este juego de compresiones tres veces y después trabaja la otra pierna.

150 Pasos básicos para aliviar lesiones deportivas menores

La mayoría de las lesiones deportivas son torceduras o esguinces, contusiones y hematomas. Una estrategia efectiva para tratar estas lesiones menores es seguir estos cinco pasos: **Proteger** (usa vendas, fajillas elásticas o tablillas), **Descansar** (no ejercites la parte lesionada del cuerpo), **Hielo** (aplicarlo de 10 a 15 minutos cada hora durante las primeras cuatro horas, después cuatro veces al día durante dos o tres días), **Comprimir** (con una venda de tela elástica) y **Elevar** (usa la gravedad para drenar fluido del tejido lesionado). Después de dos o tres días, cambia de frío a calor para aliviar las molestias.

151

Un masaje breve y efectivo

Los masajes deportivos vigorizantes brindan grandes beneficios antes o después de una rutina de ejercicio. Generalmente son de corta duración; unos cuantos minutos de masaje resultan renovadores sin relajar demasiado. Las friegas breves también le dan descanso al masajista, ya que requieren de bastante energía.

152

Esfuérzate, pero sin exceso

Los yoguis creen que es importante equilibrar *tapas* (en sánscrito 'calor'), práctica del ascetismo y disciplina para crecer, y *ahimsa* ('que no daña'), el principio de cuidarse a uno mismo y a los otros. Un exceso de *tapas* se manifiesta en sobreesfuerzo físico. Cuando practiques yoga, esfuérzate al máximo, pero sin sobrepasarte.

153 Practica la "respiración de la victoria"

La "respiración de la victoria" es una técnica clásica de respiración en el yoga que ayuda a conjuntar estabilidad y fuerza; una práctica útil cuando intentas avanzar hacia posturas más desafiantes. Usa la "respiración de la victoria" para fortalecer y estabilizar tanto la mente como el cuerpo cuando practiques posturas avanzadas, como la que se muestra a la derecha.

Siéntate cómodamente sobre el piso o sobre una toalla extendida. Exhala lentamente a través de tu nariz mientras contraes con suavidad la parte superior de la garganta; es el mismo movimiento muscular que haces cuando exhalas para empañar un espejo, sólo que ahora con la boca cerrada (en el yoga la respiración casi siempre se hace con la boca cerrada). Inhala lenta y profundamente, manteniendo la laringe un poco constreñida: deberás escuchar un débil sonido sibilante; si tu respiración se escucha como un ronquido, estás contrayendo demasiado la garganta.

Usa la concentración que se requiere para la "respiración de la victoria" para estabilizar tu mente y cuerpo mientras inicias o mantienes cualquier postura, especialmente las que resulten rigurosas.

154 Evita el yoga competitivo

En tu clase de yoga, especialmente si eres principiante, cuida de no querer ir al ritmo de los demás estudiantes, quienes podrían estar más avanzados. ¿Cómo saber si estás esforzándote de más? Las señales de sobreesfuerzo incluyen temblores, respiración entrecortada o tendencia a aguantar la respiración, mareo, ansiedad y malestar general. Avanza lenta y suavemente, con conciencia de tus propias metas y limitaciones. Mide tu habilidad con base en tu mejoría, no comparándote con el desempeño de los otros.

Yin

Yang

Descifra el yin y el yang

El símbolo del yin y el yang ilustra el principio fundamental del tai chi: la interrelación entre lo que parecen ser energías opuestas. La mitad oscura del círculo representa el yin (una energía pasiva, receptiva, femenina y sosegada) y la mitad clara representa el yang (una energía activa, creativa, masculina, móvil). Cede a la energía pasiva del yin cuando inhalas y siente la energía activa del yang cuando exhalas. El yin y el yang son complementos, no opuestos. El punto en cada mitad del círculo simboliza que el potencial del yang está implícito en el yin, y viceversa.

155 Beneficios de equilibrar la carga del peso

En este movimiento de tai chi, llamado "cepillar la rodilla", la fuerza sutil de desplazar tu peso te ayuda a desarrollar equilibrio, agilidad y fuerza. Trabaja sin prisa para obtener el máximo beneficio.

1 Comienza con las piernas juntas y ligeramente dobladas. El pie derecho debe estar detrás del izquierdo y el talón levantado; mantén el pie izquierdo plantado sobre el piso. Eleva las manos al nivel del mentón, con los dedos separados y mirando hacia fuera. La mano izquierda debe estar cerca de la cabeza; el brazo derecho debe estar extendido, con el codo ligeramente doblado. Mira por encima de la mano derecha.

2 Da un paso adelante con el pie derecho, mantén planos ambos pies. Los instructores de tai chi dicen que la pierna izquierda debe sentirse "llena" (debe cargar la mayor parte del peso) y la pierna derecha debe sentirse "vacía".

3 Baja el brazo derecho doblando el codo ligeramente y manteniendo la palma plana y mirando hacia el suelo. Empuja hacia delante con la mano izquierda, con los dedos apuntando hacia arriba. Como siempre en el tai chi, conforme te mueves, intenta mantener las articulaciones (muñecas, rodillas, codos, etc.) relajadas y en ángulos suaves. Cuando termines, repite estos pasos con el otro lado y, después, vuelve a alternar ambos lados.

156 Construye tus músculos al estilo tai chi

¡No te dejes engañar! Quizá parezca que los movimientos lentos y fluidos del tai chi implican poco reto para los músculos, pero ya que haces los ejercicios en posición agazapada y equilibras tu peso de una pierna a otra, fortaleces los músculos de las piernas mientras evitas los riesgos del ejercicio de alto impacto. En el tai chi los movimientos de torsiones y de giros también ayudan a desarrollar los músculos abdominales. Para obtener el mayor beneficio, ejecuta cada secuencia lenta y concienzudamente.

157 Construye equilibrio y fuerza sobre una pelota

Entre los ejercicios clásicos de la técnica pilates está el uso de una pelota inflable grande para ayudar a desarrollar músculos que normalmente no se esfuerzan, aun en los deportes o las clases más exigentes.

Rodar sobre una pelota grande podrá parecer juego de niños, pero el trabajo sobre una pelota puede representar un reto increíble si se realiza correctamente, ayuda a desarrollar los músculos centrales y un equilibrio que no requiere la mayoría de los ejercicios de piso, y facilita ejecutar ejercicios de fortalecimiento y estiramiento que requieren de equipo costoso. Juntos, la pelota y los pilates te ayudan a alinear el cuerpo y fortalecer el torso, dos factores que favorecen un físico esbelto, característico de quienes practican pilates con regularidad.

Puedes comprar una pelota de ejercicio de 55 a 65 centímetros de diámetro en casi cualquier tienda que venda equipo deportivo; las personas cuya estatura es inferior a 1.70 metros se sentirán más cómodas con una pelota de 55 centímetros. Conviene utilizar la pelota sobre una alfombra, o mejor aún sobre un tapete antiderrapante para yoga, para que la pelota no se deslice demasiado. Asegúrate de elegir una pelota específicamente para ejercicio porque están hechas para resistir más presión y movimiento.

158 Estira tu espalda sobre la pelota

Si bien una pelota de ejercicio es una herramienta muy efectiva para desarrollar fuerza, también puedes utilizarla para estirar la espalda. Experimenta extendiéndote sobre la pelota, boca abajo o de espaldas, y posicionando la pelota de manera que tu cuerpo se sienta apoyado y sientas un estiramiento suave. Mantén cada estiramiento durante 30 segundos o más; deja de hacerlo si sientes el mínimo dolor.

159 Encuentra equilibrio sobre una pelota

En esta rutina, los músculos tienen que trabajar más duro para mantener el equilibrio sobre la superficie inestable de la pelota. La clave está en la alineación del cuerpo: si ves que estás perdiendo la posición, descansa hasta que puedas recuperar la forma correcta.

1 Equilíbrate en una posición para realizar lagartijas con tus brazos sobre el piso, los dedos apuntando hacia delante y el empeine de los pies sobre la pelota. Empuja de manera que los omóplatos se alejen de la columna vertebral. Jala las costillas hacia arriba, contrayendo los músculos abdominales y apretando los glúteos. No arquees la espalda ni dejes que cuelgue la cintura. Mantén el cuello recto y enfoca la vista hacia el piso.

2 Levanta una pierna y estira el pie lo más que puedas extendiendo los dedos. De nuevo, evita arquear la espalda o empujar las nalgas hacia arriba. Mantén la pelvis nivelada y contrae el abdomen.

3 Ahora trabaja la otra pierna. Sigue alternando el ejercicio de las piernas, levantando cada una de cinco a diez veces. Cuando termines, desciende de la pelota con cuidado, doblando las rodillas y bajando las piernas al piso, una a la vez.

En esta secuencia, el paso 1 es una variación del ejercicio de la plancha, en el que te sostienes en posición de lagartija con los dedos de los pies sobre el piso; es también una postura de yoga y un ejercicio popular para fortalecer el abdomen. Trata de hacer este ejercicio con los pies sobre la pelota, cronometrándote cada día a la misma hora. Sé constante y rápidamente verás que aumentan tu resistencia y fuerza.

4 Acuéstate de espaldas y coloca los pies sobre la pelota de manera que las rodillas queden en un ángulo de 90 grados y las manos estén extendidas a los lados con las palmas hacia abajo. Mantén contraído el abdomen para que la caja torácica se presione hacia el piso.

5 Empuja hacia arriba contra la pelota con las plantas de los pies, dobla las rodillas y descansa sobre los omóplatos. Evita rodar sobre el cuello.

6 Aleja la pelota empujándola y extiende las rodillas de manera que el cuerpo forme una línea recta. Descansa los talones sobre la pelota y trata de mantener la cadera arriba. Jala la pelota hacia ti. Presionando hacia abajo con las plantas de los pies, baja la pelvis al piso. Repite ocho veces los pasos 4 a 6.

160 Variaciones de la postura "de la paloma"

La postura "de la paloma" te permitirá trabajar con estiramientos de la cadera que son exigentes, pero reconfortantes, y estimulan el cuerpo y la mente.

1 Para realizar la postura "de la paloma", colócate a gatas. Lleva hacia adelante la rodilla izquierda, entre las manos, y coloca el pie hacia la derecha para que la pierna forme una "V" invertida. Extiende la pierna derecha hacia atrás y deja que las caderas desciendan hasta mantenerlas en el piso; ten cuidado de no rodar sobre el muslo izquierdo o forzar las rodillas. Estira la columna y levanta el pecho, pero mantén las palmas sobre el piso y los hombros relajados y hacia abajo. Mantén la postura de cuatro a seis respiraciones (suéltala a la menor señal de sobreesfuerzo). Para dejar la postura, empuja hacia abajo con las palmas, levanta la cadera y desliza la pierna izquierda hacia atrás. Realiza los pasos con el otro lado.

2 En la postura "de la paloma baja" tu peso recae más sobre los brazos y un poco menos en la cadera. Inicia colocándote en la postura básica "de la paloma", luego coloca los antebrazos sobre el piso, separados al ancho de los hombros, carga el mayor peso en los antebrazos y menos en la pierna doblada; si te resulta más cómodo, aligera el peso de la pierna doblada extendiendo completamente los brazos y dejando que la cabeza descanse o cuelgue hacia el piso. Fíjate si algún músculo muestra resistencia y relájalo para que se "entregue" a su posición. Mantén la postura de cuatro a seis respiraciones. Suéltala y realiza los pasos con el otro lado.

161 Protege tus rodillas al realizar la postura "de la paloma"

Las variaciones de la postura "de la paloma" te permiten darle soltura a la cadera, que trabaja en armonía con las rodillas, lo cual compensa las dificultades para lograr el movimiento de las articulaciones de la cadera. Cuando trabajes para abrir las articulaciones de la cadera, ten cuidado de no lastimarte las rodillas. Si es necesario, usa un cobertor para apoyar la cadera (foto a la derecha) y suelta la postura a la menor señal de molestia. Recuerda que la práctica del yoga no termina cuando dejas el tapete, sino que tu cuerpo se ve recompensado por la práctica inmediata y también por la constancia al paso del tiempo.

162

Apoya la cadera

Si te resulta difícil mantener la cadera estable en cualquiera de las posturas "de la paloma", coloca una almohada firme o un cobertor doblado bajo la cadera del lado de la pierna doblada: mientras más lejos del piso quede tu cadera, más gruesa debe ser la almohada o el cobertor; con la práctica paulatinamente necesitarás menos apoyo.

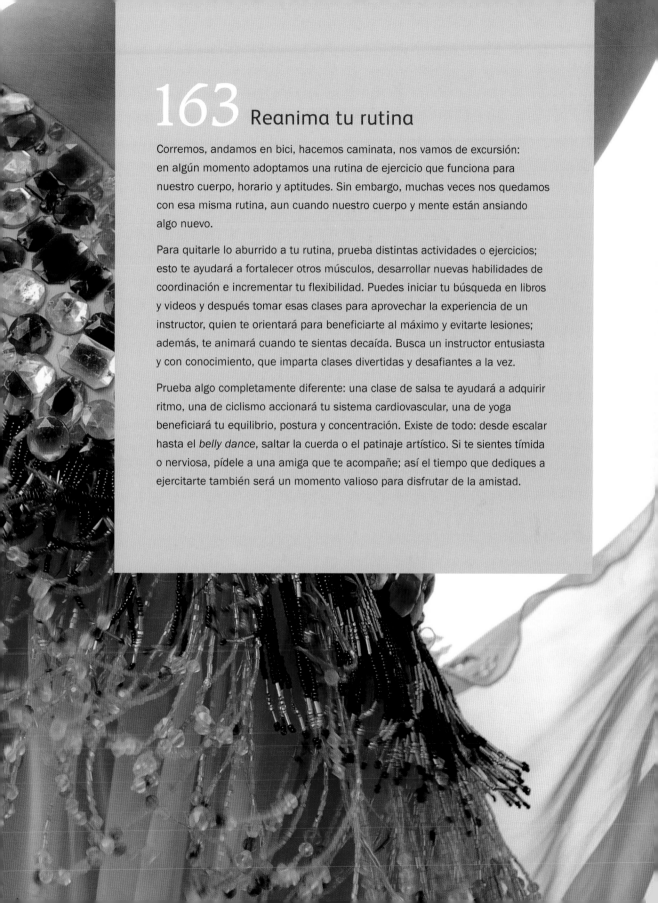

163 Reanima tu rutina

Corremos, andamos en bici, hacemos caminata, nos vamos de excursión: en algún momento adoptamos una rutina de ejercicio que funciona para nuestro cuerpo, horario y aptitudes. Sin embargo, muchas veces nos quedamos con esa misma rutina, aun cuando nuestro cuerpo y mente están ansiando algo nuevo.

Para quitarle lo aburrido a tu rutina, prueba distintas actividades o ejercicios; esto te ayudará a fortalecer otros músculos, desarrollar nuevas habilidades de coordinación e incrementar tu flexibilidad. Puedes iniciar tu búsqueda en libros y videos y después tomar esas clases para aprovechar la experiencia de un instructor, quien te orientará para beneficiarte al máximo y evitarte lesiones; además, te animará cuando te sientas decaída. Busca un instructor entusiasta y con conocimiento, que imparta clases divertidas y desafiantes a la vez.

Prueba algo completamente diferente: una clase de salsa te ayudará a adquirir ritmo, una de ciclismo accionará tu sistema cardiovascular, una de yoga beneficiará tu equilibrio, postura y concentración. Existe de todo: desde escalar hasta el *belly dance*, saltar la cuerda o el patinaje artístico. Si te sientes tímida o nerviosa, pídele a una amiga que te acompañe; así el tiempo que dediques a ejercitarte también será un momento valioso para disfrutar de la amistad.

164
Mima tu espalda

El dolor de espalda es frecuente en las mujeres, pero es fácil desarrollar hábitos que te ayudarán a prevenirlo; por ejemplo, si trabajas sentada mucho tiempo, toma descansos frecuentes para estirarte. Aquí tienes algunos consejos para el cuidado de tu espalda.

- Duerme sobre un costado y con una almohada en la que apoyes el cuello; evita dormir boca bajo.

- No te inclines hacia el espejo cuando te arregles.

- Hasta donde te sea posible, evita cargar tu bolso siempre del mismo lado.

- Evita usar tacones altos y compra zapatos con soporte para tus arcos.

- Usa una silla que se adapte bien a tu tamaño, de preferencia con altura ajustable.

165
Estira tu espalda con las posturas "del gato" y "la vaca"

Estas posturas de yoga fueron inspiradas en el arco del lomo de un gato y la curvatura descendiente del lomo de una vaca. Son fáciles de ejecutar y efectivas para estirar la espalda y fortalecer los músculos centrales.

1   Para la postura "de la vaca", colócate a gatas con los codos rectos, pero algo relajados. Pon las palmas directamente debajo de los hombros y las rodillas bajo la cadera (si tienes muñecas débiles o sensibles, cierra los puños con los pulgares hacia delante y colócalos sobre el piso). Inhala, presiona el estómago hacia abajo conforme se expande el pecho y levanta suavemente la cabeza y la pelvis, dándole un curveado ligero a la espalda, como el lomo de una vaca.

2   Para la postura "del gato", exhala mientras contraes el diafragma y el abdomen y levantas la espalda mientras bajas la cabeza y la pelvis, igual que un gato cuando se estira completamente.

Repite la secuencia de cuatro a diez respiraciones. Puedes practicar *mantra japa* (repetición de una palabra o frase), en silencio o en voz alta, pero siempre al ritmo de tu respiración; esto ayudará a crear un ambiente de meditación mientras realizas las posturas. Usa cualquier palabra o frase motivadora; si no se te ocurre ninguna, prueba la sencilla pero profunda *shanti* (pronunciado shán-ti), que en sánscrito significa 'paz'.

166
Aprende a levantar objetos pesados

La principal causa de lesiones en la espalda es levantar objetos pesados de manera incorrecta. Cuando vayas a levantar algo pesado primero ponte en cuclillas lo más cerca posible del objeto, aprieta los glúteos, agarra el objeto, mantén la espalda recta y levántate con la fuerza de los músculos de las piernas; no uses los músculos de la espalda.

167 Relaja unos glúteos tensos con un masaje

Pídele a una amiga que te dé un masaje en los músculos glúteos para aliviar la tensión. Ésta es la forma en que lo debe hacer:

1 Coloca uno de tus codos en la base de uno de los músculos del glúteo; presionando firmemente, empújalo hacia arriba por el costado del cóccix.

2 Después, desliza tu codo en zigzag cruzando los músculos, desde un lado del cóccix hasta el exterior de la cadera en su parte más ancha, y de regreso. Sabrás que estás haciéndolo bien cuando sientas que las fibras comienzan a separarse.

3 Colócate a un costado de tu amiga y con las puntas de tus dedos presiona la nalga en la zona más alejada de los músculos glúteos; inclínate hacia atrás y jala hacia el cóccix alternando las manos. Haz esto diez veces, después realiza los pases en la otra nalga.

Recupérate después del masaje

Después de recibir un masaje cruzado sobre las fibras de los músculos bebe siempre mucha agua. Si un área de tu cuerpo queda resentida, aplícale hielo durante diez minutos.

168 Masajea cuidadosamente las fibras musculares

Dar un masaje cruzado a lo ancho de las fibras musculares puede sentirse como si se reventaran unas cuerdas tensas, pero no te preocupes, esto las relajará. Sentir un leve dolor durante el masaje es común, pero ten cuidado de no sobrepasarte porque la fricción excesiva puede lesionar el tejido. La regla básica: a mayor profundidad, menor velocidad. Masajea de esta forma los músculos durante dos o tres minutos.

169 Realiza en pareja la postura "de la barca"

Los beneficios de practicar esta postura en pareja serán conexión, confianza y apoyo mutuo, además del estiramiento. Esta postura recibió su nombre por su parecido con un navío de vela.

Cuando se practica individualmente la postura "de la barca", requiere destreza y músculos abdominales fuertes; pero al realizarla en pareja se hace un poco más fácil porque puedes usar a tu compañero como palanca y para mantener tu equilibrio. Además, la conexión física entre ustedes ayudará a fortalecer sus lazos sentimentales, ya que dependen del otro para obtener apoyo y ambos disfrutarán en compañía los beneficios de la meditación.

Para comenzar, siéntate en el piso mirando de frente a tu compañero. Doblen sus rodillas y coloquen los pies firmes contra el piso, con sus dedos tocándose. Agárrense de las manos (o del antebrazo, si eso les resulta más cómodo) y levanten y enderecen lentamente sus piernas, por un lado a la vez, dejando que las plantas de sus pies se toquen. Mantén la espalda recta. Mientras ambos se balancean sobre sus glúteos, inclínense hacia adelante y hacia arriba desde la espalda baja, mírense uno al otro y respiren lenta y profundamente. Mantengan esta postura durante 20 segundos por lo menos; con la práctica, extiendan el tiempo a un minuto.

La manera de hacerlo bien

Para realizar adecuadamente la postura "de la barca" en pareja es necesario concentrarse en un lado a la vez: no intenten levantar sus piernas de manera simultánea. Como con cualquier postura en pareja, ambos deben tener sentido del ritmo y encontrar su propio nivel de confort.

170 Mejora tu relación mediante el yoga

En sánscrito la palabra *yoga* significa 'unión'. Aunque generalmente se refiere a alcanzar la armonía entre nuestra mente y cuerpo, el concepto de yoga también se aplica a dos individuos: amigos, parientes y parejas románticas, que se acoplan para formar una unidad. Posturas como "la barca doble" permiten que dos personas compartan la pasión por el yoga y sus sentimientos mutuos. Incluso dos personas de estatura y peso muy diferentes pueden equilibrarse y apoyarse una a la otra.

171 Toma conciencia de sus movimientos

Usado a menudo como ejercicio de entrenamiento en las artes marciales, empujar las manos es un ejercicio compartido del tai chi que sirve para desarrollar mayor sensibilidad hacia los movimientos de tu pareja.

1 Colócate frente a tu pareja a la distancia de un brazo extendido, avanza en posición de arco: una pierna adelante con la rodilla doblada y la otra pierna extendida hacia atrás. Ambos deben tener la misma pierna (la derecha o la izquierda) adelante y mantenerse en equilibrio. Mantén la cabeza erguida y la pelvis hacia abajo de manera que la columna quede alargada.

Ahora, cada uno levante el brazo (del mismo lado que la pierna adelantada) a la altura del pecho, con el codo suavemente doblado. Mantén la palma en el sentido contrario de la mano de tu pareja y los dedos estirados. Descansa el dorso del antebrazo sobre el dorso del antebrazo de tu pareja, como si estuvieran cruzando espadas. Mantén la otra mano abajo y al costado, con el codo suavemente doblado y los dedos bien extendidos, con la palma hacia el suelo. Mantén los hombros sueltos y relajados.

2 Con los pies firmes en el suelo, desplaza el peso hacia delante mientras empujas suavemente con tu antebrazo sobre el antebrazo de tu pareja: él deberá ceder ante tu fuerza y desplazar su peso hacia atrás.

3 Ahora le toca a tu pareja empujar hacia delante, desplazando su peso hacia ti y ejerciendo presión con el antebrazo; esta vez tú respondes cediendo y desplazando tu peso hacia atrás. Túrnense para alternar quién empuja hacia delante y quién cede; con los pies fijos en su lugar y los brazos moviéndose hacia delante y atrás de una manera ajustada y circular (como las ruedas de una locomotora). Mantén suelta la cadera para que rote libremente, y recibe los movimientos de tu pareja manteniendo tus rodillas dobladas; no te inclines bruscamente. Empujen las manos durante el tiempo que puedan permanecer relajados y concentrados, y alternen los lados de vez en cuando.

Armados y listos

Conforme se mueven hacia adelante y hacia atrás, empujando las manos (paso 3), en ambos las manos y los antebrazos adelantados deben permanecer en la misma posición; o con más naturalidad, pueden subir y bajar los brazos, pero sin rebasar la muñeca o el codo.

disfruta

Parte de ser adulto es saber qué disfrutas: qué comida saboreas, qué compañía prefieres, cuáles actividades amas. En ocasiones quizá sientas un poco de culpa por entregarte a los placeres de la vida, pero hay un tiempo y un lugar para todo. Así que para cuando llegue el turno de mimarte, tenemos algunas ideas para ti.

Las actividades de este capítulo deleitarán tus sentidos: desde perfumar tu recámara hasta recibir masajes frente a una chimenea; estos tratamientos van del simple cuidado personal, hasta la alegría que produce el placer. Aquí encontrarás sugerencias para revitalizar tu cuerpo, armonizarte con el entorno y entregarte a un auténtico descanso que como adulto te mereces. Sin importar la actividad que elijas, debes agradar a tus sentidos, relajar la mente y exaltar el espíritu; pero sobre todo, brindarte más felicidad. ✎

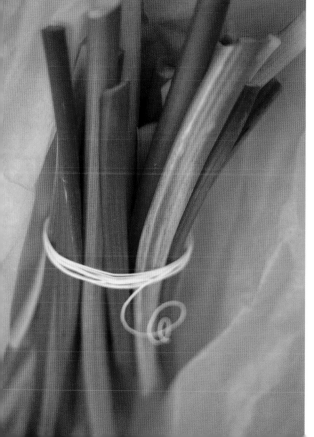

172 Disfruta la terapia de un buen baño

Cuando se trata de descansar de las preocupaciones diarias, pocas cosas son más satisfactorias que un baño: especialmente si acaricias tu cuerpo con agua perfumada.

1 Prepara una tina con agua muy caliente, pero sólo lo suficiente para que puedas meterte en ella lentamente, sin quemarte. Agrégale al agua nuestra combinación de aceites esenciales, escogidos por sus cualidades benéficas y por su poder de humectación (ver receta a la derecha). Antes de meterte a la tina, mezcla el agua con las manos para integrar los aceites.

2 Métete en la tina y pasa los siguientes minutos sólo remojándote en el agua caliente. Cierra los ojos y respira profundamente para purificarte.

3 Luego, usando un cucharón, vierte agua caliente de la tina sobre tus hombros y el centro de tu espalda. Disfruta y fíjate cómo el agua alivia los músculos y tranquiliza la mente. Sin prisa, vierte agua sobre la coronilla y la parte trasera de la cabeza (cuida de que no caiga en tu cara, porque los aceites provocan ardor en los ojos). Continúa remojándote la parte superior de los brazos.

4 Sigue echándote agua, lenta y metódicamente; hazlo como una forma de meditación, imaginando que el paso del agua se lleva todas tus preocupaciones.

5 Cuando hayas terminado, recuéstate, cierra los ojos y remójate durante unos diez minutos; permanece en un estado sereno y meditativo.

Mezcla benéfica para baño

1 cucharadita de aceite
  de almendras dulces
3 gotas de aceite esencial
  de manzanilla
3 gotas de aceite esencial
  de lavanda
2 gotas de aceite esencial
  de geranio

173 Relájate con manzanilla

Se dice que, bebida en té, la manzanilla (romana o alemana) relaja el cuerpo, induce el sueño y ayuda a calmar las dolencias estomacales; a menudo, como aceite esencial, la hierba (en la foto) es usada para aliviar el insomnio y el nerviosismo. Las propiedades antiinflamatorias de la manzanilla ayudan a calmar el ardor en la piel irritada o quemada por el sol.

Mezcla placentera para rociador

8 onzas de agua destilada
8 gotas de aceite esencial de jazmín
7 gotas de aceite esencial
    de lavanda
7 gotas de aceite esencial
    de sándalo
3 gotas de aceite esencial de vetiver

174 Crea un ambiente especial en tu recámara con aromaterapia

Usar aceites esenciales para aromatizar tu recámara creará sensaciones de frescura, calidez, seducción o paz, o de cualquier estado de ánimo que quieras para tu refugio especial. Siendo la habitación en la que dormimos, soñamos, hacemos el amor y nos recluimos, la recámara merece atención extra y una pizca de creatividad. Decorar la recámara a tu gusto y mantenerla limpia y ordenada es crucial para que realmente sea un lugar tranquilo donde puedas descansar y sentir placer; pero también ayuda que la perfumes con el aroma correcto.

Rociar aceites esenciales en tu recámara es una manera encantadora de crear un ambiente. Simplemente agrega aceite esencial o tu mezcla favorita (lee la receta a la izquierda) en un rociador con agua destilada. Además de rociar esta mezcla en el aire, salpica ligeramente tu ropa de cama, las cortinas y la alfombra. Usa aceites ligeros y claros para evitar las manchas y no lo rocíes sobre muebles de madera. Elige una fragancia acorde a tus necesidades: la bergamota o la manzanilla ayudan a reducir los niveles de estrés; el aceite esencial de lavanda ayuda a relajarte; si estás pensando en el romance, la fragancia floral de ylang-ylang es afrodisiaca, así como el sándalo y el pachuli; para refrescar usa aceites de limón o toronja, y prueba el de eucalipto para eliminar olores rancios y repeler insectos.

175 Ajusta la temperatura de tu recámara al punto ideal

Si tienes problemas para dormir, prueba bajar la temperatura del termostato. Cuando duermes, la temperatura corporal baja y el organismo mantiene esa temperatura, por lo que un ambiente muy cálido puede interferir con el sueño. La meta es mantener tu recámara fresca, pero sin que deje de ser cómoda, generalmente de 18 a 22 grados centígrados.

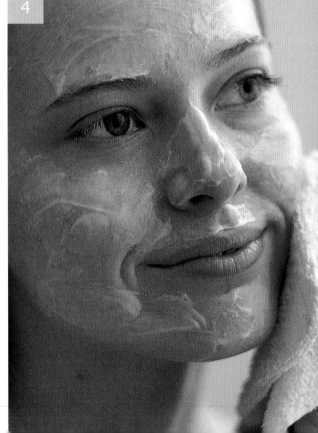

1

2

3

4

176 Brilla con un facial de lujo

El cuidado diario es esencial para mantener tu piel en buenas condiciones. Para una experiencia de lujo, complementa tu rutina de cuidado con este tratamiento facial que incluye vaporizaciones de aceite esencial para resaltar el brillo y la salud de tu piel.

1 Comienza limpiando la cara con un producto apropiado para tu tipo de piel. Moja tu cara y aplícale el equivalente a medio dedal de gel o loción limpiadora, frota la piel con movimientos suaves y circulares para masajear tanto la cara como el cuello. Enjuágate con agua tibia y sécate con toquecitos de toalla.

2 Después exfolia la piel para remover células muertas, impurezas y aceite. Exfoliar acelera la renovación celular, lo que permite que emerja una nueva capa de piel lisa y brillante. Frota suavemente la piel con tus dedos, evitando el área de los ojos. Enjuágate a conciencia con agua tibia y sécate dando toquecitos con una toalla suave.

3 Llena un tazón con agua hirviendo y agrégale unas gotas de aceite esencial: si tu piel es reseca, una buena elección es una mezcla de rosas y olíbano; la esencia de lavanda funciona bien para pieles que van de secas a normales; la manzanilla alivia la piel sensible, y el limón va bien para la piel grasosa. Mezcla bien el aceite con el agua. Inclínate sobre el tazón, manteniendo tu cara a una distancia de 25 a 30 centímetros del borde para recibir el vapor. Tiende una toalla de baño sobre tu cabeza, formando una carpa para atrapar el vapor. Vaporiza tu cara de cinco a diez minutos.

4 Mientras la piel aún está húmeda por el vapor, aplícale una mascarilla formulada para tu tipo y condición (humectante, purificante o suavizante). Unta una capa delgada y uniforme sobre tu cara y déjala reposar de 10 a 20 minutos. Después retira la mascarilla con un trapo mojado y sécate con una toalla dando golpecitos suaves. Finaliza tu facial aplicándote una crema o suero humectante compatible con tu tipo de piel.

Seduce usando aceite esencial de rosas

Fresco, relajante y tonificador (pero bastante caro en su presentación pura), el aceite esencial de rosas es célebre por sus efectos rejuvenecedores, especialmente para la piel seca o madura. El aceite de rosas se usa frecuentemente para reducir las arrugas, humectar, disminuir la hinchazón leve y limpiar los poros taponados. Por otra parte, su aroma es calmante e induce un sueño reparador.

177 Revive la pasión con un masaje frente a la chimenea

Darse masajes a la luz de la chimenea es una manera relajante y romántica de unirte con tu pareja. En una noche fría, el calor del fuego es relajante y reconfortante y el juego de luz y sombra es hipnótico y tranquilizador: es el escenario perfecto para las caricias íntimas. Acurrúquense cerca de la chimenea y pídele a tu pareja que te dé este masaje que deleitará tus sentidos. Si no quedas extenuada de placer, después querrás complacer a tu pareja.

1 Experimenta dando toques ligeros y rápidos sobre su cabeza, pasando suavemente tus dedos para peinarle el cabello hacia abajo. Comienza los primeros pases desde el nacimiento del cabello en su frente y desliza tus dedos hasta las puntas. Regresa arriba a una zona diferente y repítelo hasta que hayas recorrido suavemente toda su cabeza.

2 Algunas veces el toque perfecto para relajar es deslizarse suavemente sobre la piel. Coloca tus manos en la parte baja de su espalda y con las palmas presionando suavemente, trabaja hacia la base de su cuello. Recorre con tus manos sus hombros y deslízalas hacia abajo por los costados, regresando a la cintura y la espalda baja. Repite el masaje mientras alientas a tu pareja a respirar profundamente para dejar que sus preocupaciones se esfumen con cada pase.

3 Ayúdala a eliminar la tensión que se acumula entre sus omóplatos. Coloca una mano sobre su hombro y con la otra mano ve presionando con tu pulgar los músculos entre los omóplatos y la columna vertebral. Continúa por toda la espalda superior, deslizándote de arriba hacia abajo. Comienza con una presión suave y trabaja con mayor profundidad conforme se relajan los músculos.

178 Camina para mantenerte saludable

Para muchas personas caminar es un mal necesario, algo que deben hacer cuando no encuentran un lugar cercano para estacionarse o cuando se ven obligados a usar el transporte público para llegar al trabajo. No todos tienen el tiempo, la paciencia o los zapatos adecuados para caminar. Quizá parezca raro pensar que caminar es placentero, pero ante un estilo de vida acelerado eso es precisamente lo que puede ser. No sólo es una forma excelente y accesible de ejercitarse (se recomiendan 30 minutos diarios), también es una manera de conectarse con el entorno y es un bálsamo tranquilizador para la mente y el alma.

Caminar al trabajo te permite organizar tus pensamientos y poner en marcha tu cuerpo; empieza con un tramo corto, por ejemplo, bájate del autobús una parada antes o estaciona tu coche un poco más lejos de tu destino. Después de una larga jornada de trabajo, caminar te ayudará a deshacerte del estrés y la ansiedad. Si tienes hijos, llevarlos caminando a la escuela o ir al parque con ellos después de comer será una oportunidad para platicar, tomarse de las manos y demostrarles cuánto valoras su compañía. Una caminata relajada es buena para redescubrir tu vecindario o conocer uno nuevo. Invita a una amiga y juntas exploren el territorio: andar lento, compartir el ejercicio e integrarse con la naturaleza alientan la camaradería.

179 Acondiciona profundamente tu cabello

Tratamiento capilar de acondicionamiento profundo

1 cucharadita de aceite de nuez de Brasil
1 cucharadita de aceite de oliva
1 cucharadita de aceite de ajonjolí
½ cucharadita de miel
2 gotas de aceite esencial de geranio
2 gotas de aceite esencial de lavanda

Dar un tratamiento al cabello con aceites esenciales favorece el brillo y la suavidad y ayuda a combatir los efectos nocivos de la secadora, los procesos químicos y la exposición al sol.

1 Mezcla los ingredientes de la receta de la izquierda en un tazón pequeño y caliéntalos en baño María: coloca el recipiente dentro de un tazón más grande o una cacerola con agua caliente durante unos minutos. Los aceites tibios penetran mejor en el cabello y son más efectivos.

2 Después de mojar tu cabello, toma el aceite con los dedos y aplícalo comenzando por arriba y trabajando hacia las puntas.

3 Remoja una toalla en agua tibia y después exprímela o coloca una toalla húmeda en la secadora por unos minutos para entibiarla. Envuelve tu cabello con la toalla y déjatela de 5 a 15 minutos; una de las ventajas de este tratamiento acondicionador es que te dará tiempo para tomar un baño relajante, meditar, descansar o leer un libro. Pasado el tiempo, lávate el cabello con el champú de siempre.

4 Desenreda tu cabello con un peine de dientes anchos (los cepillos pueden dañarlo). Aplícate este tratamiento cada dos o tres semanas o más a menudo si tu cabello está muy seco o dañado, y con menos frecuencia si es graso o muy delgado.

180 Suaviza el cabello dañado

Como las uñas, las plumas o las "barbas" de las ballenas, el cabello es una forma de proteína llamada *queratina*. A pesar de que el cabello puede ser tan fuerte como un alambre de hierro, se daña con los tratamientos químicos, los rayos solares, el cloro y el trato rudo. Si tu cabello luce mal, usa acondicionadores para mejorar su apariencia. El cabello dañado tiene las escamas levantadas y los acondicionadores las alisan, dándole así una apariencia suave y brillante.

1

2

3

4

181 Un champú sensual para dos

Turnarse en la ducha para lavarse mutuamente el cabello, además de los placeres sensuales que brinda el contacto, promueve la intimidad y las atenciones en pareja. La combinación de un champú aromático, un masaje suave en el cuero cabelludo y el correr del agua tibia sobre la cabeza es un agasajo que la mayoría de nosotros sólo experimentamos en la estética; pero dejar que el ser amado nos lave el cabello y después hacerlo nosotros, es una manera de disfrutar del bienestar de estar en pareja y conectarnos emocionalmente. Empieza por elaborar un champú con el aroma de tus aceites esenciales favoritos (lee la receta a la derecha). Después, elige un lugar agradable para aplicar el champú (la ducha, la tina o incluso el jardín).

Empieza por verter agua tibia sobre el cabello de tu pareja, pon un poco de champú entre tus manos y frótalo. Aplícalo sobre su cabello y masajea lentamente con pequeños movimientos circulares todo el cuero cabelludo, desde el nacimiento del cabello en la frente hacia la coronilla, pasando por los nacimientos laterales y hacia atrás. Trata de mover el cuero cabelludo con las yemas de los dedos, pero no lo presiones con fuerza (eso duele) ni frotes el cabello con rudeza (eso daña los folículos capilares). Dar el masaje debe ser un proceso relajado; aquí es importante tanto la conexión con tu pareja como limpiar su cabello. Ahora, enjuágalo concienzudamente con agua tibia y sécalo dando toquecitos con una toalla.

Mezcla para champú sensual

6 a 8 onzas de champú sin aroma
10 gotas de aceite esencial
   de ylang-ylang
8 gotas de aceite esencial
   de sándalo
2 gotas de aceite esencial
   de lavanda

182 La cantidad necesaria de espuma

Un error común acerca del champú es creer que su poder limpiador está directamente relacionado con la cantidad de espuma. Algunos champús muy finos y efectivos están formulados a propósito con una cantidad menor de detergente —el causante de la espuma—, ya que el exceso de detergente despoja al cabello de sus aceites naturales. Utiliza la cantidad necesaria de champú, a menos que tu cabello sea muy largo o grueso; esto equivale al contenido de un dedal.

183

Repara tus cutículas con un cuidado intensivo

Si tus cutículas se encuentran en un estado lamentable, prepara un tratamiento efectivo que las restaurará de la noche a la mañana. Justo antes de acostarte, mezcla en un tazón pequeño una cucharadita de miel con una cucharadita de aceite de girasol, germen de trigo o aceite de oliva. Mete los dedos en la mezcla y masajea el nacimiento de las uñas y las cutículas. Cubre las manos con guantes o calcetines de algodón y déjatelos puestos toda la noche.

184 Hazte una manicura

¿Manos resecas? ¿Uñas disparejas y quebradizas? ¿Cutículas dañadas? Es momento de darle a tus manos ternura y amor con una manicura diseñada para que luzcan y se sientan bien.

1 Llena un tazón pequeño con agua tibia, agrégale dos gotas de aceite esencial de lavanda (que es suavizante y antibacteriano, y ayuda a limpiar y desinfectar las raíces de las uñas; además de que huele maravillosamente). Sumerge las puntas de los dedos en el agua cubriendo por completo las uñas. Remójalos durante cinco minutos o más para suavizar las cutículas y preparar las uñas.

2 Lima cada uña para darle forma y eliminar las astillas. Comienza por un lado y, con un solo movimiento suave, jala la lima hacia el centro de la uña varias veces; después lima por el otro lado. Ten cuidado de no hacerlo de un lado a otro, eso provoca que las uñas se astillen. Cuando hayas terminado de limarlas, empuja las cutículas suavemente hacia atrás con un palito de naranjo envuelto en un pedacito de algodón: nunca cortes las cutículas porque puedes provocar una infección. Siguiendo el contorno natural, intenta dejar expuesta la mayor cantidad posible de uña para darles una apariencia larga y elegante.

3 Las manos contienen menos glándulas sebáceas que el resto del cuerpo, por lo que son propensas a la sequedad y el envejecimiento prematuro. Para mantenerlas hidratadas, aplícate una crema humectante que contenga vitamina E; usa diario un protector solar con un FPS de 30 o más para retrasar la aparición de arrugas y manchas por el envejecimiento.

4 Usa un pulidor manual o eléctrico para darle un brillo natural a las uñas. Apoya el pulidor en el pulgar y sujétalo con los otros dedos; dobla los dedos de la otra mano hacia la palma. Extiende un dedo a la vez y pule la uña con movimientos de izquierda a derecha. Da pases rápidos y suaves para conseguir un aspecto sano y terso.

1 2
3 4

1

185 Hidrata tus pies

Agasaja tus pies humectándolos, limando a conciencia los talones e hidratándolos durante toda la noche. Este tratamiento hará maravillas, en particular si tu piel tiende a ser seca y áspera.

1 Llena una tina lo suficientemente grande para sumergir tus pies en agua tibia, agrega cinco gotas de aceite esencial de flores de naranjo (neroli) y tres cucharaditas de aceite de oliva y mezcla bien. La fragancia de la flor de naranjo es relajante y refrescante; el aceite de oliva es suavizante y emoliente. Remoja los pies durante 15 minutos y después descánsalos sobre una toalla.

2 Mientras siguen húmedos, límalos con piedra pómez o con una lima para pies dando movimientos firmes de ida y vuelta para remover la piel muerta de los talones, plantas y parte inferior de los dedos gordos. Revisa la piel cada tres o cuatro limadas para ver si ya no está áspera y cambia de zona; detente a la menor señal de dolor. Si tus pies están muy resecos, podrían necesitar varios tratamientos para suavizarse.

3 Hidrata la piel que acaba de quedar expuesta. Para obtener mejores resultados, aplícales una espuma, gel o crema humectante, como una de aceite de cáñamo, y ponte un par de botines para humectación profunda o unos calcetines y déjatelos toda la noche.

Usa los zapatos adecuados para tus pies

Cuando compres zapatos considera que el confort y el soporte son prioritarios. La estructura de nuestros pies consta de 26 huesos, 30 músculos y 114 ligamentos; en promedio, los pies soportan el golpeteo de 10 000 pasos cada día, y cada uno de estos pasos somete esta estructura a cargar unas tres veces nuestro peso.

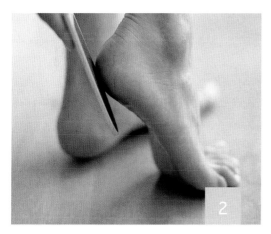

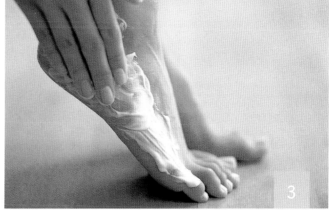

186 Fabrícate un capullo con cobertores

Concluye un baño de tina con un descanso bajo cobertores calientes; aunque con baño o sin él, acurrucarte en cobertores calientes te dará un momento de tranquilidad. Durante este periodo de descanso, tu sistema nervioso parasimpático se restaura, baja tu ritmo cardiaco, se regula la digestión de los alimentos y, en general, ayuda a que el cuerpo funcione de manera más eficiente.

Extiende dos o tres cobertores pesados sobre tu cama y coloca encima un cobertor suave. Coloca una o dos almohadas sobre la cama, según lo necesites para que tu cabeza descanse a una altura y un ángulo confortables. Quítate toda la ropa, recuéstate sobre los cobertores y envuélvete de pies a cabeza con ellos. Descansa con los ojos cerrados de 20 a 30 minutos. Usa este tiempo para meditar, recordar los eventos positivos del día, fantasear en tus siguientes vacaciones: cualquier cosa, menos preocuparte.

Mezcla relajante para rociar cobertores

1 taza de agua destilada
2 gotas de aceite esencial
  de jazmín
1 gota de aceite esencial de salvia

187 Agrega un toque de lujo a tu capullo

Una variante para el capullo de cobertores es agregarle un aromatizante preparado con tus aceites esenciales favoritos. En nuestra mezcla relajante (receta a la izquierda) incluimos salvia (las hojas secas de la foto), utilizada por especialistas en aromaterapia como antidepresivo y ansiolítico (también tiene cierta reputación como afrodisiaco), y jazmín (las flores secas de la foto), que alivia la ansiedad, el estrés y la depresión, y también reanima la libido.

Si lo prefieres, rocía una toalla de baño con la mezcla de aceites esenciales y colócala encima de los cobertores: es más fácil lavar una toalla que una pila de cobertores. Si el clima está fresco, puedes calentar las cobijas rociando un poco de agua en una toalla de baño o un cobertor ligero y meterlo durante unos diez minutos a la secadora y después colocarlo sobre la cama. Para que este calor dure más, coloca una botella de agua caliente o un cojín calentador en el envoltorio.

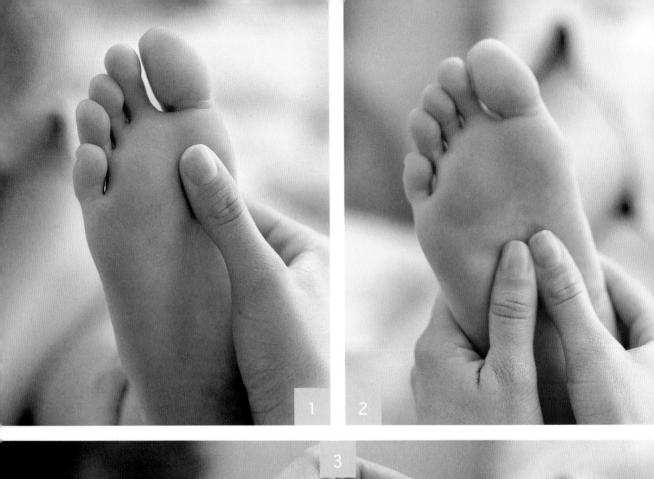

188 La reflexología para descongestionar

Los especialistas en reflexología afirman que al presionar ciertas zonas en los pies se ejercen beneficios en otras partes del cuerpo. Un masaje de pies también califica para la lista de los placeres sencillos de la vida. Pídele a una amiga que te dé este masaje:

1 Colócate en una posición cómoda para masajear el pie de tu amiga. Para activar las zonas de reflexología, con tu pulgar traza círculos profundos y superpuestos en la superficie del talón y el arco. Después, coloca tu pulgar justo arriba del arco, en la parte delantera del pie, y presiona en una de las hendiduras entre los huesos que llevan hasta los dedos del pie. Traza círculos con tu pulgar sobre cada hendidura: desde la parte superior del arco hasta cada dedo.

2 Agarra su pie con tus dos manos, sosteniendo con los pulgares la parte inferior del pie, hasta la mitad del talón. Coloca tus dedos lado a lado para ejercer presión firme y deslízalos sobre su planta hasta las hendiduras en la parte delantera y continúa hasta el espacio entre el dedo gordo y el segundo dedo. Afloja un poco tus manos y deslízalas de regreso al talón con suavidad. Repite dos veces más.

3 Dale a cada dedo un masaje individual, presionando con tu pulgar e índice a la vez, haciendo círculos desde la base hacia la punta. Después, mueve cada dedo de atrás hacia delante, dándole vueltas en círculos pequeños y avanzando en espiral hacia círculos más amplios; ten cuidado de no doblar demasiado los dedos. Para terminar, coloca tus manos adaptándolas al contorno de los pies y presiónalas al mismo tiempo. Jala las manos lentamente hacia ti, hasta que salgan por encima de los dedos, unas tres veces. Después, repite todos estos pasos en el otro pie.

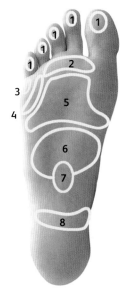

Mapa de reflexología del pie derecho

Aquí están algunos de los puntos clave de reflexología localizados en la planta del pie derecho.

1 Senos nasales, cabeza y cerebro
2 Ojos y orejas
3 Brazos
4 Hombros
5 Pulmones y senos
6 Hígado
7 Riñones
8 Nervio ciático

189

Libérate de emociones arraigadas

En algunas escuelas tradicionales de yoga se considera que en la cadera se asientan las emociones negativas. Esto significa que conforme alivias la tensión física de esa área, quizá también experimentes una liberación de emociones reprimidas, como temor, enojo o tristeza. Aunque puede ser inquietante, si dejas que esas emociones afloren, salgan de ti y se dispersen, apreciarás el gran alivio que trae liberarte de esas emociones, en lugar de aferrarte a ellas.

190 Expulsa la tensión meciendo tu cuerpo

Para liberar la tensión de la cadera usa la postura "meciendo al bebé", que aliviará y estirará tu espalda y disipará la tensión física.

Siéntate con las piernas extendidas. Doblando la rodilla, lleva la pierna derecha hacia el pecho. Con la espalda lo más recta posible, acerca la pierna hacia ti y mécela suavemente de lado a lado, como si fuera un bebé. Idealmente, los codos deben rodear la rodilla y el pie, por lo que debes sujetarlo de la forma que te resulte más cómodo. Mécete y respira hondo de cuatro a ocho veces. Repite la postura con la otra pierna.

Cuando realices esta u otras posturas de yoga que estiren la cadera, concéntrate en el segundo chacra, uno de los siete puntos del cuerpo que los yoguis dicen que intersecta con algunos canales de energía. El segundo chacra, localizado debajo del ombligo, gobierna la creatividad, la sexualidad, la fertilidad y la sensualidad, y también las emociones como la ira, el temor y el instinto de protección. Los yoguis creen que este segundo chacra, bien equilibrado, puede ayudar a una mujer a sentirse más poderosa, creativa y sensual.

191 Mueve la cadera para beneficiar tu espalda

La mala postura, levantar objetos pesados de manera incorrecta y la vida sedentaria, contribuyen a padecer dolores en la espalda baja. Sin embargo, pocos saben que en ocasiones esos problemas se originan en la cadera. Esto se debe a que al estar sentada por mucho tiempo (en el coche o el trabajo) los músculos frontales de la cadera se acortan. Existen ejercicios como subir escaleras, levantar las piernas y pedalear bicicleta, que le darán firmeza a los flexores de la cadera. Para evitar problemas, incluye el estiramiento de los flexores en tu rutina de acondicionamiento físico y trabaja en mantener la cadera en movimiento.

192 Visualiza un refugio pacífico

Encuentra un lugar donde estés segura de que nadie te molestará durante
unos diez minutos. Siéntate en una silla cómoda y descansa los antebrazos
y las manos sobre tu regazo o sobre los descansos de la silla. Cierra los ojos.
Comienza a respirar lenta y profundamente. Deja que se dispersen tus
pensamientos y que corran por tu mente: solo concéntrate en el ascenso
y descenso acompasado de tu respiración. Ahora centra tu atención en las
plantas de tus pies y recorre lentamente tu cuerpo visualizando hasta los
pequeños músculos de tu cuero cabelludo. Relaja conscientemente todo
el cuerpo, tan sólo mantén el suficiente control muscular para permanecer
sentada, derecha, en la silla.

Ahora estás lista para escapar. Visualiza tu escenario favorito, un lugar
hermoso en el que te sientes feliz y totalmente a gusto; puede ser una playa
de blancas arenas acariciada por un mar sereno y azul. Imagínate caminando
a lo largo de la playa. Siente la arena suave y fina bajo tus pies y la brisa
agitando tu cabello. Escucha el ritmo acompasado de las olas y disfruta la
fragancia de las flores tropicales que crecen más allá de la costa. Extiende tu
toalla y tiéndete bajo el sol. Descansa ahí un momento y cuando estés lista,
ponte de pie, recoge tu toalla y dirígete a casa, sabiendo que podrás regresar
a tu paraíso privado cuando lo desees.

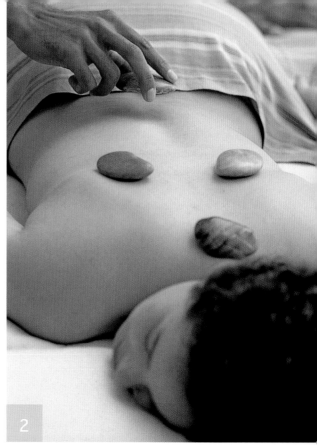

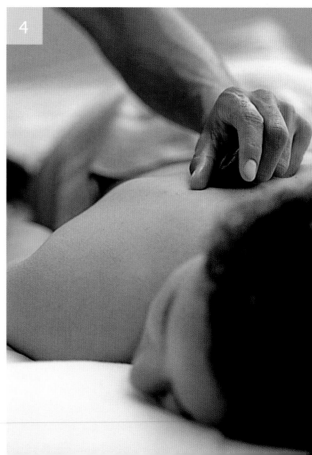

193 Siente el calor tranquilizante del masaje con piedras calientes

Colocadas sobre puntos clave de energía, y usadas como herramientas para dar masaje, las piedras calientes te ayudarán a ti y a tu pareja a relajarse y conocerán una nueva manera de tocarse. Dale a tu pareja estas instrucciones para el masaje, mientras preparas el tratamiento acostándote cómodamente boca abajo sobre una cama o un tapete en el piso, con los brazos a los costados y las palmas hacia arriba:

1 Coloca siete piedras planas, lisas y limpias en una cacerola o sartén grande, cúbrelas con agua hirviente y caliéntalas de cinco a diez minutos. Saca las piedras con unas tenazas, una a la vez, y seca la que vayas a colocar sobre tu pareja. Prueba la temperatura de las piedras con tu mano para asegurarte de que no estén demasiado calientes. Coloca una piedra en cada una de las palmas de tu pareja.

2 Coloca una piedra sobre sus músculos cercanos a cada omóplato y otra en la base de su cuello. Finaliza con una piedra suavemente colocada en la base de su columna vertebral. Deja que tu pareja descanse diez minutos para que sienta cómo el calor y el volumen de las piedras estimulan los puntos de energía y disipan su tensión.

3 Cuando se enfríen las piedras, retíralas en el orden en que las colocaste. Después saca la última piedra del agua y sécala. Sostenla en la palma de tu mano y viértele encima un poco de aceite para masaje, frótala con tus manos para cubrirla de aceite. Para complementar el placer, agrega al aceite para masaje tres gotas de aceite esencial de rosas, jazmín o ylang-ylang.

4 Usa una orilla lisa de la piedra para masajear suavemente la espalda de tu pareja. Coloca la piedra a un lado de la base de su columna vertebral (nunca presiones directamente sobre la columna) y deslízala hacia arriba presionando ligeramente, con un solo movimiento uniforme. Masajea hacia arriba y después a lo largo, desde la parte interior del omóplato derecho. Repite este masaje deslizando la piedra dos veces más, aumentando gradualmente la cantidad de presión, pero sin frotar demasiado fuerte. Repite los pasos en el otro lado de su espalda.

194 Elige las piedras correctas

Encontrarás las piedras más adecuadas para el masaje en tiendas de manualidades o puedes recogerlas en una playa o en la ribera de algún río. Selecciona las que pesen más, pero no tanto como para producir incomodidad al colocarlas sobre el cuerpo.

195 Perfuma el ambiente con un popurrí

Artículos clásicos y favoritos de la aromaterapia, las bolsas o los tarros con aromas deliciosos sirven para perfumar una habitación, dulcificar una amistad o evocar recuerdos y estados de ánimo. Un popurrí es una combinación de ingredientes aromáticos y decorativos, como pétalos de flores secas, hojas, frutas, especias y aserrín, salpicados con aceites esenciales. Un popurrí de calidad también contiene fijadores, como raíz de iris, que absorbe y libera lentamente los aceites esenciales, ayudando a que la fragancia dure más. Puedes adquirir un popurrí en tiendas de regalos y manualidades, pero será más gratificante crear tu propia mezcla.

Primero busca una receta de un popurrí que te agrade, puede ser en libros, en Internet o prueba la receta de la izquierda. En tiendas de manualidades y naturistas y en catálogos de herbolaria encontrarás los ingredientes que necesitas (quizá tengas algunos en tu jardín). También necesitarás frascos limpios, una báscula de cocina y goteros de vidrio (uno por cada aceite que uses). Una advertencia: hacer el popurrí no toma mucho tiempo, pero la mezcla tiene que asentarse cerca de tres semanas antes de estar lista para usarse, así que planea tu tiempo si los estás preparando como obsequios.

Una vez lista la mezcla, colócala en tazones bonitos y distribúyelos estratégicamente por toda tu casa (evita usar un popurrí de aroma fuerte cerca del comedor, porque interferirá con el sabor de los alimentos). También puedes poner el popurrí en bolsas pequeñas de telas porosas, como lino, algodón o seda, y atarlas con listones; le darán una delicada fragancia a tu ropa si las colocas en el ropero o los cajones de la cómoda.

Para liberar en el ambiente el aroma de tu popurrí, espárcelo en una jarra de agua y caliéntala a fuego lento. Además de estos usos, puramente ambientales, el popurrí tiene usos prácticos: los de romero, citronela, salvia, cedro y lavanda ayudan a repeler algunos insectos, mientras que una mezcla de manzanilla, bergamota, lavanda y salvia, colocada junto a tu cama, induce a un sueño reparador.

Induce paz mediante el aroma

Fabrica un popurrí con una mezcla de cáscaras secas de naranja, pétalos de lavanda, rosas y jazmín, el cual será perfecto para la mesa de noche o el escritorio. Unas gotas de los aceites esenciales de los mismos aromas ayudarán a darle más cuerpo y duración a la fragancia.

1

2

3

4

196 Hónrate con el tai chi

Esta secuencia de tai chi ("la bella dama trabaja con las lanzaderas") honra las manualidades y servicios de las mujeres.

1 Párate con el pie izquierdo detrás del pie derecho, con las rodillas ligeramente dobladas y colocadas directamente arriba de los dedos de los pies. Levanta el brazo derecho, pasándolo frente a tu cuerpo hasta la altura del hombro, con el codo doblado y la palma hacia abajo. Luego, el brazo izquierdo debe descender hasta justo debajo del ombligo; mantén el codo doblado y la palma hacia arriba, los codos, muñecas y rodillas relajados; es decir, no formes ángulos con las articulaciones de las manos.

2 Adelanta el pie izquierdo y recarga tu peso sobre el derecho. La mano derecha sigue por arriba de la izquierda. Mantén los brazos redondeados.

3 Desplaza la cadera hacia atrás mientras mueves el brazo izquierdo hacia arriba (ahora con la palma hacia dentro). Retrae el brazo derecho, ahora con la palma hacia fuera.

4 Empuja hacia delante con ambas manos hasta que el brazo izquierdo quede arriba del brazo derecho y los dedos estén ligeramente inclinados hacia atrás. Desplaza tu peso siguiendo los movimientos de las manos y dobla la rodilla izquierda. Repite los pasos 1 a 4 tres veces más.

197 Mantente relajada y siente la energía

Cuando practiques tai chi es importante que mantengas la docilidad en tu cuerpo. Mantén dóciles y curvados brazos y piernas, cuidando de no extenderlos por completo. Pon atención especial a las manos: siempre deberán estar relajadas. Cuando te muevas durante una secuencia, coloca tus manos con intención e imagina que envías tu energía del interior hasta las puntas de los dedos.

198

Gira cuatro veces

El nombre de la secuencia de "la bella dama trabaja con las lanzaderas", proviene de una leyenda china de una doncella que hilaba en cuatro telares que pertenecían a los taoístas inmortales. Imagínate que te desplazas incansablemente de lanzadera en lanzadera, mientras repites los movimientos cuatro veces en cuatro direcciones diferentes. Las cuatro direcciones reflejan la antigua creencia china de que el mundo es cuadrado y el cielo está sostenido por las cuatro patas de una tortuga, que también representa los cuatro puntos cardinales.

199 Zumba como abeja para que se vaya volando la tensión

La vibración agradable y audible de esta práctica de respiración en el yoga ayuda a clarificar la mente y tranquilizar el espíritu. Es fácil de hacer y la disfrutan niños y adultos. En sánscrito se llama *bhramari pranayama*, 'respiración de la abeja zumbadora', y te ayudará a meditar, a la vez que aliviará la tensión, te liberará del enojo, reducirá tu presión sanguínea y favorecerá el sueño. Es un ejercicio maravilloso para esos momentos en los que necesitas tranquilizarte o tranquilizar a un niño.

■ Siéntate en una postura de meditación cómoda con tu espalda recta y coloca las manos sobre los ojos.

■ Con los pulgares presiona suavemente sobre los tragos (pequeños apéndices del exterior de tus orejas) para que sellen las aberturas a los canales auditivos; la idea es cortar el paso a los ruidos del exterior.

■ Inhala profundamente y exhala con lentitud a través de la nariz mientras canturreas desde lo alto de la parte posterior de la boca, de manera que sientas una vibración en el paladar blando (la parte carnosa posterior del cielo de la boca). Alarga cada exhalación, extendiéndola lo más que puedas.

■ Practícalo de tres a siete respiraciones; luego afloja, cierra los ojos, descansa las manos sobre las rodillas y disfruta del sosiego que has creado.

Practica yoga desde la juventud

Tanto adultos como niños pueden adquirir mayor conciencia de su cuerpo y emociones, relajarse con facilidad y adquirir habilidad para concentrarse si practican yoga, además de que mejoran la coordinación, la postura y el equilibrio. Para ayudar a un practicante joven a mantenerse concentrado, platiquen acerca de lo que van experimentando o cuenten juntos.

200 Benefíciate con la respiración abdominal

A menos que tengas una contraindicación médica, la respiración abdominal es una técnica excelente para usarse en las clases de yoga. De hecho, al practicar yoga o correr, usar el diafragma para respirar profundamente incrementará la eficiencia de cada respiración. Para acostumbrarte a la respiración abdominal, siéntate en una posición cómoda y coloca una mano sobre tu abdomen, justo debajo de la caja torácica, expande el abdomen al inhalar y contráelo al exhalar; respira así durante unos cinco minutos.

201 Reconforta a una amiga con la energía de tus manos

Inspirados por los trabajos ayurvédicos con los chacras, y otras formas antiguas de sanación, estos movimientos le permitirán a una amiga o a tu pareja conectarse contigo mediante el poder del tacto. Quien te brinde estos pases de energía, debe seguir estos cuatro pasos sencillos:

1 Pide a tu amiga que se acueste boca arriba. Frota tus manos enérgicamente durante unos 20 segundos para calentarlas. Coloca tus manos bajo su cabeza, con los pulgares arriba de sus orejas y el resto de tus dedos por debajo. No presiones hacia abajo, simplemente sostén su cabeza durante un minuto para ayudarla a relajarse.

2 Descansa tu mano derecha abajo de su ombligo y tu mano izquierda sobre su frente. Manteniendo inmóvil la mano izquierda, mueve la mano derecha de lado a lado, con suficiente presión para mecer sus caderas suavemente de lado a lado; hazlo durante 20 segundos, luego descansa 20 segundos manteniendo tus manos en su posición. Alterna mecimiento y descanso durante algunos minutos.

3 Pídele a tu amiga que se acomode boca abajo. Coloca una de tus manos sobre su cóccix y la otra sobre la base de su cuello. De nuevo, mece su cadera suavemente de lado a lado durante 20 segundos, luego descansa durante 20 segundos manteniendo ambas manos en su posición. Repite este ciclo durante unos minutos hasta que su respiración se vuelva profunda, calmada y regular.

4 Durante un momento, coloca una de tus manos sobre la otra, unos centímetros arriba de su baja espalda (estás enlazándote a un campo de energía que muchos sanadores consideran que se irradia desde el cuerpo); después, coloca tus manos delicadamente sobre su espalda y mécela con suavidad, alternando entre mecimiento e inmovilidad. Usa tu sensibilidad para detectar cualquier sensación de calidez o cosquilleo (señales de energía atorada que está liberándose). Después de cinco respiraciones completas, levanta tus manos lentamente y sostenlas unos centímetros por encima de su cuerpo un momento más.

Sanación mediante las manos

Muchos sanadores de energía consideran que tenemos una ligera carga de energía positiva en la mano derecha y una ligera carga de energía negativa en la mano izquierda. Cuando tocamos a alguien con ambas manos, la diferencia entre estas cargas hace que fluya una corriente eléctrica tenue, pero potente. Esta corriente ayuda a romper cualquier bloqueo de energía en el cuerpo de la persona a la que se toca, lo que permite que su energía fluya con libertad y le ayuda a restaurar su equilibrio, salud y bienestar.

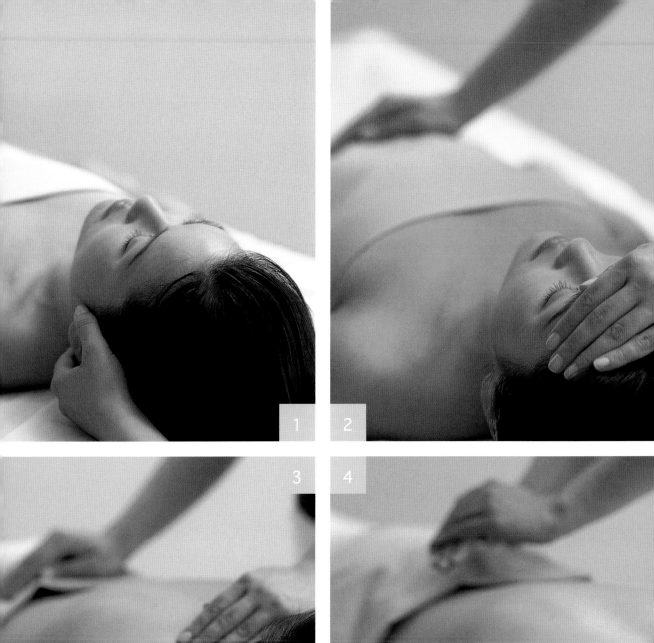

202 Transforma un ambiente con velas

La luz suave y titilante de las velas crea ambientes románticos y seductores; colocar algunas, o incluso muchas, distribuidas en una habitación, puede transformar cualquier área en un espacio mágico: tu cocina se convierte en un café parisino, tu baño en un lujoso spa y tu recámara en un refugio misterioso y seductor.

Para disfrutar los beneficios de la aromaterapia, agrega unas gotas de aceite esencial cerca del pabilo de una vela sin aroma: conforme se derrita la cera, el aroma se liberará. Recuerda que los aceites esenciales son inflamables, no uses demasiado ni los vacíes directamente sobre la flama. Para tu recámara prueba el aceite de ylang-ylang, puede ser afrodisiaco; o alivia la ansiedad sexual con el vetiver, conocido como "el aceite de la tranquilidad". Las velas perfumadas con jazmín, pachulí, salvia, sándalo, olíbano, geranio o rosas favorecen la pasión.

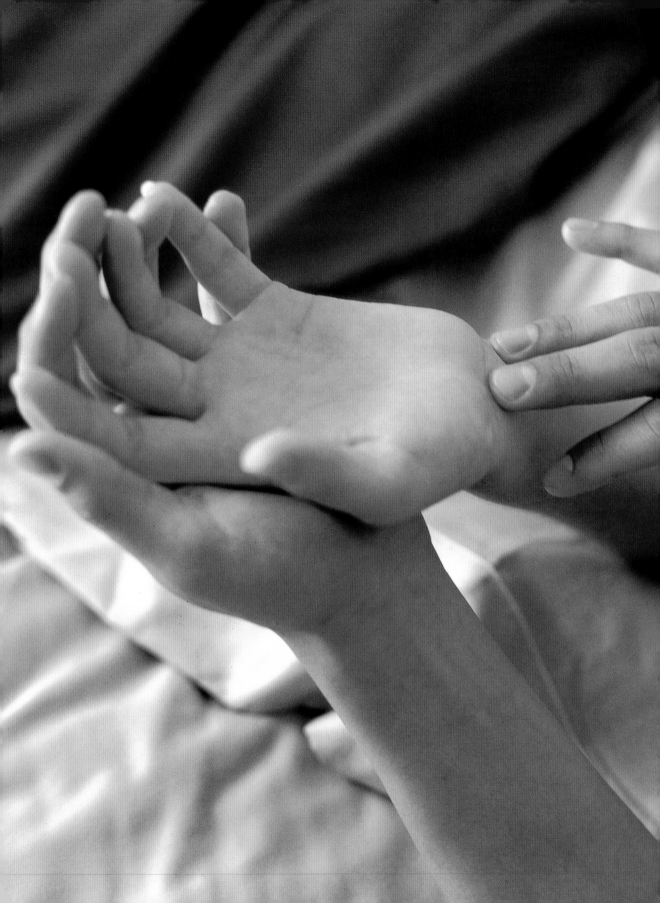

203 Acaríciense con un masaje sensual

Prepárate para despertar la pasión con un masaje sensual. Un masaje ligero en las zonas sensibles de tu cuerpo, le permitirá a tu pareja explorarte de una manera especialmente íntima. Comienza este masaje descansando cómodamente en la cama con tu pareja. Recuesta tu espalda sobre su pecho y pídele que siga estos pasos:

1 Comienza acariciando su frente, entre sus cejas, haciendo círculos sobre los huesos de sus mejillas y después acariciando su nariz. Desliza los dedos hasta sus labios: delinéalos y explóralos con suavidad. Ahora, traza círculos alrededor de sus orejas, delineando suavemente sus bordes y el interior.

2 Acaricia con ternura la piel suave y sensible del interior de sus brazos, sus codos y antebrazos. Toma su mano y masajea suavemente desde su muñeca hasta la punta de cada dedo; hazlo también en la otra mano.

3 Acaríciala avanzando hacia el ombligo, mueve tus dedos lentamente, cruzando su vientre y su cadera; regresa masajeando por el vientre hasta el ombligo. Dibuja el contorno de su ombligo varias veces y masajea del vientre hasta el esternón. Continúa explorando, detente a trazar círculos en puntos sensibles.

Acaricia a tu pareja de la manera correcta

Mientras masajeas a tu pareja, experimenta hasta que encuentres la presión adecuada para deleitarla. Para este ejercicio debes aplicar roces ligeros, pero que no sean demasiado suaves porque corres el riesgo de hacerle cosquillas en lugar de estimularla eróticamente.

204 Encuentra serenidad con la secuencia de cierre del tai chi

Todos hemos sentido en alguna ocasión que tenemos demasiada energía acumulada en el cuerpo y que no encuentra una salida: es esa sensación angustiante de estar sobreestimulados, quizá por haber ingerido demasiada cafeína o simplemente por el curso de los eventos del día.

Si bien el tai chi debería relajarte y no provocarte ansiedad, quienes lo practican consideran que también es importante asentar el chi del cuerpo después de completar una forma, puesto que este antiguo arte se concentra en reunir y estimular el flujo del chi. Sin embargo, si esa energía no es apaciguada, puede dejar en el practicante la sensación de estar disgregado y no concentrado.

Los movimientos fluidos de los brazos en la secuencia de cierre (ve la página siguiente) ayudan a estabilizar el chi y serenarlo. Si te cuesta trabajo visualizar esto, piensa que es como planchar una sábana arrugada; algunos practicantes comparan estos movimientos con una puesta de sol. Sin importar cómo lo visualices, recuerda que el objetivo es preservar la energía del cuerpo, a la vez que apaciguarla de manera contemplativa.

205 Disfruta los beneficios del tai chi

La fluidez y el desplazamiento del peso en los movimientos del tai chi fortalecen los músculos de las piernas, conservan la densidad ósea, mejoran la flexibilidad de las articulaciones, equilibran y dan conciencia corporal. Probablemente te sentirás más relajada y ligera después del primer par de semanas de tus sesiones; sigue con ellas durante algunos meses y experimentarás resultados más profundos.

206 Relájate con el tai chi

Sentirás que tu mente se acalla y tu cuerpo se relaja conforme ejecutas los movimientos de la secuencia de cierre del tai chi. Practícala después de una larga jornada de trabajo.

1 Párate con los pies abiertos al ancho de los hombros, con los dedos apuntando hacia delante, y con tus brazos relajados a los costados. Acuclíllate un poco, manteniendo retraída la pelvis, mirando hacia el frente y con las rodillas relajadas; conforme bajas, ve elevando las manos.

2 Respirando con calma y de manera natural, continúa levantando las manos hasta que queden a la altura del mentón, con las palmas hacia fuera. Lentamente, mueve los brazos hacia abajo y hacia afuera, en un círculo grande, manteniendo la vista concentrada al frente.

3 Baja las manos y júntalas de manera que se crucen delante de tu cuerpo, como a la altura de los hombros, pero sin que se toquen, y gira las palmas hacia ti.

4 Voltea las palmas hacia el piso y estira las manos hacia adelante, como si estuvieras presionando la superficie de una mesa. Relaja los hombros y déjalos caer.

5 Manteniendo los pies separados, asciende para dejar las cuclillas y permite que los brazos desciendan y descansen a los costados; termina dando un paso con un pie. Repite cuatro veces los pasos 1 a 5.

Índice de tratamientos y actividades

Masaje

Yoga

Meditación y respiración

Pilates

Tai chi

Glosario

aceite aromático. Véase *aceite esencial.*

aceite base. Aceite inerte, generalmente vegetal o mineral, usado para estabilizar o diluir sustancias más potentes, como aceites esenciales. Generalmente se usa un aceite base para reducir la concentración de una sustancia y que no resulte dañina al usarla sobre la piel.

aceite de citronela. Aceite esencial conocido por sus propiedades como repelente de insectos.

aceite de neroli. También llamado aceite de flor de naranja. Se extrae de las flores blancas del árbol de naranja amarga o de Sevilla y exuda un aroma que, según los especialistas en aromaterapia, ayuda a tranquilizar e induce al sueño reparador.

aceite esencial. Aceite que le da a las plantas su olor característico. Estos aceites se usan en aromaterapia y en perfumería.

ácido elágico. Fitoquímico con fuertes propiedades antioxidantes y antibacterianas.

ácido láctico. Subproducto de un proceso que lleva energía a los músculos cuando exigen más oxígeno del que puede aportarles la sangre. El ácido láctico provoca una sensación de ardor al realizar ejercicios vigorosos.

acondicionador. Sustancia diseñada para restaurar el aspecto sano del cabello, que ha sido dañado por el exceso de calor, los procesos químicos o el manejo rudo.

acupresión. Técnica de masaje sanador que utiliza la presión de pulgares o dedos para estimular puntos de acupuntura localizados en el cuerpo.

acupuntura. Técnica terapéutica china con 6000 años de antigüedad, que utiliza la colocación de agujas en la piel en puntos específicos para equilibrar el flujo de *chi* y tratar enfermedades.

antioxidante. Molécula que suprime varios efectos de oxidación, particularmente en los radicales libres del oxígeno, de corta vida y altamente reactivos.

aromaterapia. Uso experto de aceites esenciales para el bienestar físico, emocional y espiritual. Los aceites esenciales pueden calentarse, verterse en baños de tina o aplicarse diluidos sobre la piel.

asana. Término en sánscrito que significa 'postura'. Las asanas están diseñadas para mejorar la salud física, espiritual y emocional.

astringente. Véase *tonificador.*

ayurveda. Medicina tradicional de la India. Este sistema holístico de cuidado de la salud enseña que cada persona tiene un centro de paz y perfección: un estado natural de bienestar y felicidad. Las prácticas ayurvédicas ayudan a las personas a regresar a ese estado natural equilibrando las energías vitales para alcanzar armonía con el medio ambiente.

bikram yoga. Forma moderna de yoga que consiste de 26 posturas practicadas en habitaciones tibias para promover la desintoxicación.

bromelina. Enzima que ayuda a la digestión. Se encuentra en alimentos como la piña.

caloría. Unidad de medida usada para describir la cantidad de energía que contiene un alimento. Para obtener su equivalente en kilojoules, se multiplica el número de calorías por 4 186.

celulitis. Grasa subcutánea que da apariencia rugosa a la piel, muy parecida a la de una cáscara de naranja.

chacra. Término en sánscrito que significa 'rueda'. Punto a través del cual la energía entra y sale del cuerpo. Las tradiciones orientales consideran que el cuerpo tiene siete chacras, cada uno asociado con características mentales o emocionales específicas.

chacra del corazón. El 'centro de energía' en el corazón. Este chacra está asociado con el amor y la generosidad (véase *chacra*).

chi. En medicina china, es la energía básica de vida que fluye a través del cuerpo y el universo. Los sanadores chinos consideran que el bloqueo o la deficiencia del *chi* constituyen la raíz básica de las enfermedades.

colágeno. Proteína principal de los tejidos conectivos, que le da su fuerza a la piel. La degradación del colágeno es la causa de las arrugas.

colesterol. Grasa cerúlea que proviene tanto del hígado como de los alimentos que ingerimos, especialmente carne y productos lácteos. Los especialistas en nutrición dividen el colesterol en dos grupos: colesterol HDL, que es considerado "bueno", y colesterol LDL, que es considerado "malo" o dañino para la salud.

comedogénico. Sustancia que puede causar o empeorar el acné y las espinillas de punta negra o blanca. Para identificar los productos diseñados para aminorar estos problemas de la piel, busca el término "no comedogénico" en sus etiquetas.

cuádriceps. Músculos que corren por el frente de los muslos.

desecho metabólico. Productos de desecho normales que genera el cuerpo durante su funcionamiento diario.

difusor. Mecanismo que distribuye, por lo general mediante calor, el aroma de un aceite esencial.

diurético. Sustancia que aumenta la cantidad de orina producida por el cuerpo.

elastina. Proteína que da su elasticidad a la piel.

exfoliador. Agente granulado diseñado para ayudar a eliminar las células muertas de la piel mediante la frotación.

exfoliar. Friega o frotación que se realiza para retirar células muertas de la piel.

fenoles. Categoría de fitoquímicos, que incluye a los compuestos que le dan color azul a las bayas y violeta a las berenjenas. Los fenoles son antioxidantes potentes con propiedades anticoagulantes y antiinflamatorias.

fibra dietética. Parte sólida de los alimentos, generalmente plantas, que no puede ser sintetizada por las enzimas digestivas. La fibra ayuda a desplazar el alimento más rápido a través del aparato digestivo; su consumo se ha ligado a tasas decrecientes de cáncer.

fitoquímicos. Químicos de las plantas. Se ha reportado que algunos combaten o protegen contra diversas enfermedades, detienen el daño celular, estimulan el sistema inmunológico y ayudan en los mecanismos de desintoxicación del cuerpo.

grasas. Compuestos orgánicos que constituyen la fuente más concentrada de energía en los alimentos. La grasa total mide todos los tipos de grasa en un alimento; la grasa saturada mide sólo la cantidad de un tipo específico de grasa, que es la mayor fuente dietética de niveles altos de LDL, o colesterol "malo".

hatha yoga. Forma de yoga que combina posturas y ejercicios de respiración para equilibrar las energías del cuerpo. La palabra *hatha* proviene del sánscrito *ha* (sol) y *tha* (luna); el objetivo de la disciplina es unir y equilibrar energías solares (energizantes) y lunares (relajantes).

heliotropo. Planta de flores fragantes, cuyos colores van del violeta al blanco.

hidratos de carbono. También conocidos como carbohidratos. Cada una de las sustancias orgánicas formadas por carbono, hidrógeno y oxígeno, que contienen los dos últimos elementos en la misma proporción que la existente en el agua; por ejemplo la glucosa, el almidón y la celulosa. Son el combustible del cuerpo. Se encuentran en alimentos como cereales, semillas, tubérculos, manzanas, naranjas y dulces.

humectante. Sustancia o producto que reduce la pérdida de humedad de la piel.

kilojoules. Unidad de medida internacional usada para describir la cantidad de energía contenida en una unidad de alimento. Divide los kilojoules entre 4 186 para obtener el equivalente en calorías.

laberinto unicursal. Red de pasajes o caminos en los que todos llevan a un punto central.

lesión de movimiento repetitivo. Lesión producida en cartílagos, tendones, ligamentos, nervios o músculos como resultado de realizar repetidamente un mismo movimiento físico.

loción autobronceadora. Producto que contiene dihidroxiacetona (DHA), que reacciona con aminoácidos en las capas superiores de la piel para activar células productoras de melanina y darle una apariencia bronceada a la piel.

luffa. Estropajo de textura basta, hecho con la vaina seca de una cucurbitácea y que es una excelente herramienta para exfoliar piel.

melanina. Pigmento oscuro de origen natural que se encuentra en la piel o el cabello. Cuando estamos expuestos a la luz solar, nuestra piel se oscurece porque la piel produce más melanina.

meridiano. En medicina china, canal o camino del cuerpo por el que viaja la energía (*chi*). Los puntos de acupuntura se localizan a lo largo de los meridianos; estimular esos puntos ayuda a equilibrar el flujo de *chi* a lo largo de ese meridiano.

músculo glúteo. Cada uno de los tres músculos que forman las nalgas.

músculos isquiotibiales. Músculos largos que corren por detrás de los muslos.

nadis. Traducido a veces como 'conductos', 'nervios' o 'vasos', los nadis ayurvédicos, como los meridianos chinos, son canales por los que fluye la energía de la vida.

neurotransmisor. Sustancia que transmite impulsos entre células nerviosas.

osteoporosis. Síndrome que afecta a los huesos, haciéndolos menos densos, más quebradizos y propensos a fracturas.

pasta exfoliadora. Producto que contiene granos pequeños, diseñado para exfoliar células muertas de la piel.

piedra pómez. Roca volcánica muy ligera y porosa que puede usarse para raspar la piel áspera, especialmente en los pies.

pilates. Sistema de ejercicios, desarrollado en la década de 1920 por el bailarín y boxeador alemán Joseph Pilates. Los ejercicios de pilates fortalecen y alargan los músculos, mejoran la postura y dan flexibilidad.

polifenoles. Tipo de fenoles encontrados en sustancias como vino, café y té. Son potentes antioxidantes.

poros. Orificio de las glándulas sudoríparas en la superficie de la piel. Las glándulas sudoríparas segregan sudor y regulan la temperatura corporal.

prana. Palabra en sánscrito que significa 'fuerza vital'.

pranayama. Ejercicios de respiración en el yoga diseñados para incrementar el *prana* o fuerza vital.

proteínas. Compuestos orgánicos complejos integrados por aminoácidos que proporcionan energía al cuerpo y permiten funciones como la elaboración de tejidos. Los alimentos ricos en proteínas incluyen carne, productos lácteos, granos y legumbres.

radicales libres. Moléculas inestables que han sido vinculadas a la degeneración de funciones biológicas humanas. Se considera que contribuyen a producir trastornos como enfermedades cardiacas y cáncer.

raíz de iris. Derivado de las raíces de plantas de iris, se usa como fijador o preservador de fragancia en perfumes y otros productos.

reflexología. Tipo de masaje que consiste en aplicar presión sobre puntos específicos de manos y pies, basado en la convicción de que esta presión beneficiará otras partes del cuerpo.

sal kosher. Sal refinada, de grano áspero, que no contiene aditivos. Se le llama así porque se usa para hacer kosher la carne al extraerle la sangre.

sánscrito. Antigua lengua de la India que se usa en academias y religiones, como el latín en los países occidentales.

síndrome del túnel carpiano. Condición en la que el nervio de la muñeca se comprime, muchas veces debido a un movimiento repetitivo, provocando debilidad y dolor.

sistema endocrino. Sistema de glándulas que producen varias secreciones químicas llamadas hormonas, que circulan a través del cuerpo por medio de la sangre.

sistema linfático. Red de espacios entretejidos y órganos corporales por la que circula la linfa, un fluido pálido que contiene glóbulos blancos sanguíneos.

spleen 16. Punto de acupuntura, situado en la base de la caja torácica directamente abajo del pezón, usado para aliviar indigestión, náusea y calambres abdominales, también para equilibrar el apetito y el sistema gastrointestinal.

tai chi. Antigua tradición china de combate y sanación que consiste en movimientos lentos y gráciles diseñados para equilibrar y fortalecer el *chi* o energía del cuerpo.

terpenos. Categoría de fotoquímicos hallados en los alimentos, entre los que se encuentran la espinaca y la soya. Son potentes antioxidantes.

timo. Glándula sin conductos en el área de la garganta que ayuda al sistema inmunológico.

tonificador. También llamado astringente o refrescante. Producto para la limpieza facial que remueve residuos de maquillaje, grasa y otras impurezas. Produce una acción refrescante sobre la piel y reduce visiblemente los poros.

yoga. Antiguo sistema de la India que combina *asanas* (posturas físicas) con *pranayama* (respiración) y meditación. El objetivo es fortalecer la salud física, emocional y espiritual.

yogui. Practicante del yoga.

zona T. Frente, nariz y mentón del rostro humano, tiende a ser una zona más grasosa que otras áreas de la cara.

Índice

Versión en español

Dirección editorial Tomás García Cerezo
Edición Sergio Ávila Figueroa
Traducción Rémy Bastien V.D.M.
Formación y Corrección Creativos SA

© 2014 Ediciones Larousse, S.A. de C.V
Renacimiento 180, San Juan Tlihuaca,
Del. Azcapotzalco, C.P. 02400, México, D.F.

ISBN: 978-607-21-0782-3

PRIMERA EDICIÓN
Enero 2014

Publicado originalmente por
© Weldon Owen Inc.

Título original *Look Good Feel Good*

Impreso en China

Créditos de las imágenes